rororo Sport
Herausgegeben von Bernd Gottwald

Körpertraining für jeden

Karl-Peter Knebel

FITNESSGYMNASTIK

Rowohlt

Der Verfasser bedankt sich bei Birgit Bauer, Britta Knebel, Corinna Michels, Birgit Wolf und Norbert Metz, die sich mit viel Geduld für die Demonstrationen der Übungen zur Verfügung gestellt haben, bei Marion Knebel für das Verständnis bei der Erstellung des Manuskripts sowie bei der PUMA AG, Herzogenaurach, die die Sportkleidung lieferte.

Originalausgabe
Veröffentlicht im Rowohlt Taschenbuch Verlag GmbH,
Reinbek bei Hamburg, Juni 1991

Umschlaggestaltung Peter Wippermann und Jürgen Kaffer
(Foto: Walter Fogel)
Fotos im Innenteil: Karl-Peter Knebel
Satz Times Ten und Futura Condensed,
Page Maker 4.0 / Apple Macintosh,
Linotronic 300 (Jung SatzCentrum, Lahnau)
Druck und Bindung Clausen & Bosse, Leck
Printed in Germany
1080-ISBN 3 499 18636 5

INHALT

WAS SIE ÜBER FITNESS WISSEN SOLLTEN

Fitneß gilt im heutigen Sprachgebrauch als Zauberformel für Gesundheit und Leistungsfähigkeit. Fit sein, das bedeutet aktiv, dynamisch, jugendlich sein, belastbar und erfolgreich im Beruf. Weil viele das wollen, quälen sie sich mit Sport. Die Folge: Der Weg zur eigenen Fitneß endet nicht selten mit geschundenen Muskeln, gerissenen Bändern und schmerzenden Gelenken beim Arzt. Sportverletzungen und Sportschäden sind zu einem bedeutenden Krankheitsrisiko geworden. Statistisch haben Unfälle beim Sport schon längst die Unfälle am Arbeitsplatz überholt (aus: THÜRAUF 1985).

Unfälle, die einen Arztbesuch erforderten bzw. zu kurzzeitiger Arbeitsunfähigkeit führten, ereigneten sich 1982
- 2 Mill. im Haushalt
- 1,5 Mill. beim Sport
- 1,4 Mill. bei der Arbeit

Ein trauriger Rekord für eine Sache, die im Ursprung die Gesundheit erhalten und fördern wollte. Zugegeben: Das ist nur die halbe Wahrheit, denn wie viele sich krank und gebrechlich fühlen, weil sie noch nie Sport getrieben haben, verschweigt die Tabelle.

Wie dem auch sei: Betrüblich stimmt es allemal, wenn Mediziner feststellen, daß Herz-Kreislauf-Krankheiten bei Sporttreibenden kaum noch eine Rolle spielen, dafür aber die Beschwerden am Bewegungsapparat massiv ansteigen. Schmerzen einmal die Gelenke, Muskeln, Sehnen und Bänder oder gar die Wirbelsäule, nützt Ihnen ein gesunder Kreislauf in der Tat herzlich wenig. Die sportliche Betätigung kann zur Qual werden.

Kein Sport ist schlecht, doch zuviel davon schadet. Mäßig und regelmäßig ist der neue Trend. Der amerikanische «Fitneß-Papst» Kenneth H. Cooper stellte in einer Langzeitstudie über die Zusammenhänge zwischen körperlichem Training und den Gesundheitsgefährdungen durch Inaktivität fest: Schon mäßige Fitneß reicht aus, um die Krankheitsrisiken auf breiter Front zu senken und die häufigsten

Todesursachen – Herzinfarkt und Krebs – an den Wurzeln zu bekämpfen.

Die «Ultra-Fitten», die sich Woche für Woche fünfzig bis sechzig Joggingkilometer abverlangten, hatten in dieser Untersuchung im Vergleich zu den «Mäßig-Fitten» kaum noch nennenswerte Vorteile im Kampf gegen die Gefährdungen der Zeit.

Die Forscher, die immerhin die wissenschaftlichen Grundlagen für Jogging und Aerobic, den größten Fitneßboom aller Zeiten, lieferten, müssen nun bekennen, daß fanatische Schweißtreiberei und radikales Körpertraining unter dem Strich weniger nützt, der Gesundheit des Bewegungsapparats sogar manchmal schadet.

Mehrmals wöchentlich eine halbe Stunde abwechslungsreiches Körpertraining, ein Training, das die Probleme an der Wurzel packt, genügt schon, um deutliche Vorteile für das körperlich-geistige Wohlbefinden zu erzielen. Fitneß allerdings läßt sich nicht speichern. Fitneßtraining wird deshalb zur ständigen Aufgabe, zur regelmäßigen Arbeit an einem Gleichgewichtszustand, der durch die moderne Lebensweise zunehmend gefährdet ist. Im «High-Tech»-Zeitalter stellen immer weniger Berufe noch körperliche Anforderungen. An durchorganisierten Arbeitsplätzen wird auch der Mensch «weg-rationalisiert» und durch Maschinen und Automaten ersetzt. Diejenigen, die übrigbleiben, sind vornehmlich einseitigen und monotonen psycho-physischen Anforderungen ausgesetzt. Die funktionalen Bedürfnisse des *Bewegungs*apparats finden am Arbeitsplatz keine Erfüllung. Computerhirne nehmen dem Menschen sogar noch einen großen Teil seiner «geistigen Bewegung» ab. Der Wunsch nach einem «gesunden Geist in einem gesunden Körper» entpuppt sich da schnell als großer historischer Irrtum.

Die Flucht nach vorn in eine aktive Freiheit ist angesagt. Doch das, was eigentlich ausgleichend und entspannend wirken sollte, setzt nicht selten in konsequenter Weise die alltäglichen Zwänge fort: Einseitige und falsche Beanspruchung des Bewegungsapparats beim Sport, unzureichende Regenerationszeiten nach sportlicher Betätigung, überzogener Ehrgeiz und Eifer im Verfolgen bestimmter Trainingsziele und Mißachtung bestimmter Warnsignale, die der Körper immer dann aussendet, wenn's ihm zuviel wird, bedrohen die Gesundheit. Wer ständig wie ein Wilder trainiert, muß sich nicht wundern, wenn eines Tages der Körper schlappmacht. Weniger ist manchmal mehr, das gilt auch für das Fitbleiben. Ganz wichtig hierbei: *regelmäßig trainieren.* Wer diese Selbstdisziplin durchhält, der sagt auch anderen Unarten leichter ade. Sporttreibende – so haben Untersuchungen ergeben – ernähren sich bewußter, trinken weniger Alkohol und tun sich leichter, wenn es darum geht, das Laster Nummer eins, das Rauchen, abzulegen.

WIEVIEL SPORT IST GESUND?

Das kann im Grunde niemand schlüssig beantworten. Was der eine noch klaglos verträgt, kann für den anderen schon längst zuviel des Guten sein. Die Belastungsfähigkeit ist so unterschiedlich wie der Mensch selbst. Wieviel man sich zumuten kann, ist nur zum Teil objektiv feststellbar. Den Rest muß man in der Auseinandersetzung mit seinem Körper selbst herausfinden.

Ein gründlicher Body-Check einmal im Jahr, bei dem die Überprüfung des Bewegungsapparats immer im Vordergrund stehen sollte, ist Pflicht für «Fitneß-Freaks» und solche, die es einmal werden wollen.

Wer nie Sport getrieben hat und älter als 30 Jahre ist, der sollte ohne Gesundheitszeugnis seines Arztes ohnehin nicht plötzlich mit dem Fitneßtraining beginnen. Sind Sie sportgesund, könnten Sie eigentlich loslegen. Doch Vorsicht! Halten Sie es wie Paracelsus, dem Urvater der Naturheilkunde: Die Dosis macht's ... und bestimmt, wieviel Fitneß Sie auftanken können. Wer schon einmal Medikamente nehmen mußte, weiß, wie wichtig die Dosis ist. «Dreimal täglich eine», hat Ihnen der Arzt verordnet. Würden Sie alle Pillen auf einmal nehmen, könnten Sie sich damit umbringen. Genießen Sie Ihre Fitneßeinheit richtig dosiert regelmäßig, dann schadet sie nicht. Sie können sogar süchtig davon werden. Das ist in diesem Fall ausnahmsweise sogar wünschenswert. Nebenwirkungen müssen Sie keine befürchten.

WOHLBEFINDEN DURCH ARBEIT MIT DEM KÖRPER

Ihr körperliches Wohlbefinden ist aber nicht nur von der Trainingsdosis abhängig, sondern auch von der Art der sportlichen Betätigung, die Sie sich zumuten. Was die Gymnastik anbetrifft, sind nicht alle Körperübungen, die seit Turnvater Jahn ausgedacht wurden, gleich wertvoll. Manches schadet sogar mehr als es der Gesundheit nutzt.

Mit der *Fitneßgymnastik* werden Sie keine Schwierigkeiten haben. Die Übungen und ihre gesundheits- und leistungsfördernde Wirkung haben sich im Spitzensport längst bewährt. Zur Vor- und Nachbereitung in Training und Wettkampf sowie zur Vorbeugung von Verletzungen und Sportschäden sind sie für viele Stars zur alltäglichen Gewohnheit geworden.

Mit der *Fitneßgymnastik* gehen Sie auf Nummer Sicher. Sie schont Wirbelsäule und Gelenke und weist Sie auf so manche Gefahren traditioneller Gymnastikübungen hin. Auch wenn Sie bisher schon immer Sport getrieben haben und sich wirklich fit fühlen, werden Sie manche neue Anregung finden, wie Sie Ihr Wohlbefinden weiter steigern können.

Im Mittelpunkt stehen die Förderung der Kraft und der Dehnfähigkeit der Muskeln, beides entscheidende Faktoren, um Gelenke lange beweglich und funktionsfähig zu halten.

Die *Fitneßgymnastik* zeigt Ihnen den Weg, wie Sie ganz gezielt bestimmte Problembereiche angehen können. Sie folgt damit einer wachsenden Nachfrage nach gesünderem Sport, nach mehr gesundheitsfördernden Maßnahmen in der Freizeit.

Einige Übungen werden Ihnen fremdartig und nicht unbedingt leicht nachvollziehbar erscheinen. Sie werden auf diese Weise angeregt, sich mit Ihrem Körper auseinanderzusetzen und auf das Gelenk-Muskel-Zusammenspiel zu konzentrieren. Die bewußte Arbeit am und mit dem Körper wird Ihnen ein anderes Körpergefühl vermitteln, aus dem z. B. auch Hochleistungssportler(innen) die Kraft schöpfen, die sie zu Leistungen bis an die Grenzen des Menschenmöglichen führen.

Um den Umgang mit dem Körper zu erleichtern und um die Ausführung der Übung besser zu verdeutlichen, haben wir Ihnen Hilfen gegeben:

Ein Pfeil zeigt die Bewegungsrichtung an. Punkte bedeuten, daß Sie in diesem Bereich den Körper stabilisieren müssen oder nicht ausweichen dürfen. Dieses Symbol (⚡) kennzeichnet Gefahrenpunkte bei unzweckmäßigen Übungen, auf die in der Gymnastik verzichtet werden sollte. Wenn Sie darüber hinaus noch aufmerksam die Beschreibungen lesen, dürfte eigentlich nichts mehr schiefgehen.

KÖRPERGEWICHT UND FITNESS

Früher errechnete man das Normalgewicht aus der Formel «Körpergröße in Zentimetern minus 100». Dieser Richtwert hat leider in der heutigen Wohlstandsgesellschaft keine Gültigkeit mehr. Ob jemand zu dick oder zu dünn ist, bestimmt eine neue, allerdings kompliziertere Formel: Das Gewicht muß durch die Körpergröße im Quadrat geteilt werden. Ein Beispiel: Sie wiegen 60 kg und sind 1,70 m groß. Sie rechnen: 60 : (1,70 × 1,70). Das Ergebnis ist der sogenannte «Körpermasse-Index» (KMI), in diesem Fall 20,8. Ein Wert unter 18 bedeutet «Untergewicht», 18–25 ist «normal», 25–30 leichtes und über 30 ein gesundheitsbedrohendes «Übergewicht». Selbst noch nach dieser wohlwollenden Formel bringt jeder vierte Bundesbürger zuviel Gewicht auf die Waage. Kein Wunder also, wenn Krankenkassen rund ein Viertel ihrer Beiträge für die Behandlung ernährungsbedingter Krankheiten aufwenden müssen.

Konsequenz: Machen Sie sich einen Sport daraus, bei Übergewicht den nächstniedrigeren Index anzustreben, indem Sie sich sportbewußter ernähren. Anleitungsbücher zur «Ernährung und Sport» gibt es zur Genüge.

Ein ganz wichtiger Nebeneffekt: Je weniger Körpergewicht Sie beim Sport bewegen müssen, desto mehr schonen Sie Gelenke, Knorpel und Bänder.

10 FITNESSREGELN

Stellen Sie sich aus den empfohlenen Übungen ihr individuelles Fitneßprogramm zusammen. Einige Regeln sollten Sie dabei beachten:

REGEL 1

Beginnen Sie Ihr Programm mit Rumpfübungen. Trainieren Sie «vom Körperzentrum beginnend nach außen». Entwickeln Sie Rumpfkraft stets vor Bein- oder Armkraft.

Die Wirbelsäule ist eine zentrale Säule unseres körperlichen Wohlbefindens. Sind Rumpfmuskeln zu schwach oder ungleich trainiert, kann sie beträchtlich aus dem Gleichgewicht geraten. Tatsächlich gehen viele Beschwerden am Bewegungsapparat von Funktionsstörungen der Wirbelsäule aus.

REGEL 2

Kraftübungen für die Rumpfmuskeln immer langsam ausführen.

Schnellkräftige Arbeitsweise ist schlecht. Rumpfmuskeln halten uns aufrecht, weshalb sie über viele «haltende» Muskelfasern (Haltemuskulatur) verfügen. Sie wollen anders als Arm- oder Beinmuskeln trainiert werden. Außerdem schont die kontrollierte und langsame Ausführung die Wirbelsäule.

REGEL 3

Nach der Kräftigung dehnen. Um kräftige Muskeln geschmeidig und dehnfähig zu halten, ist Stretching notwendig. Besonders Muskeln, die wegen ihrer Faserzusammensetzung und ihrer Beanspruchung im Sport zur Verspannung neigen, sollten mit Stretchingübungen gepflegt werden. Die Gelenke werden es danken.

REGEL 4

Stretching will gekonnt sein. Zerren Sie nicht unnötig an den Muskeln herum, folgen Sie präzise den Übungsanweisungen. Nur auf diese Weise ist auch gewährleistet, daß Sie wirklich die Muskeln dehnen, die Sie erreichen wollen.

REGEL 5

Weniger ist manchmal mehr. Stellen Sie sich nicht gleich ein Programm mit vielen Übungen zusammen. Wählen Sie am Anfang 6–12 Übungen aus, die alle wesentlichen Muskeln beanspruchen.

REGEL 6

Die Beweglichkeit und die Funktionstüchtigkeit des Bewegungsapparats erhalten Sie besser, wenn Sie in einem Programm z.B. Übungen zur Kräftigung der Streckmuskeln mit Übungen für die Beugemuskeln des gleichen Gelenks kombinieren. Zum Beispiel: Zuerst Bauchmuskelübungen (Rumpfbeuger), danach Rückenstrecker, erst Kniestrecker, dann Kniebeuger trainieren. Dieser harmonische Wechsel stärkt die Funktionstüchtigkeit der Gelenke.

REGEL 7

Tauschen Sie nach etwa 3 Monaten Trainig die Übungen gegen andere aus. Die neuen Übungen sollten jedoch die gleichen Muskelgruppen beanspruchen. Varianten finden Sie genug in den Übungsbeispielen.

Ein regelmäßiger Wechsel der Übungen verbessert das Nerv-Muskel-Zusammenspiel, denn Muskeln haben ein gutes «Gedächtnis» und arbeiten nach dem Prinzip der größtmöglichen Ökonomie. Haben sie erst einmal eine Übung gelernt, «strengen» sie sich nicht mehr so sehr an. Jede fremde Übung empfindet der Muskel als Herausforderung. Er «schaltet» deswegen einfach mehr Muskelfasern an. Die neue Anstrengung spüren Sie vielleicht sogar als Muskelkater.

REGEL 8

Wie oft Sie eine Übung wiederholen, ist von Ihrem Fitneßzustand abhängig. Die Zahl der Wiederholungen sollte nicht zur vollständigen Ermüdung innerhalb einer Serie führen. Schaffen Sie z.B. insgesamt 20 Liegestütze hintereinander, wählen Sie 8–10 Wiederholungen als Trainingsbelastung. Das Gesamtprogramm sollte am Anfang 3 Sätze zu 10 Wiederholungen der gleichen Muskelgruppe nicht übersteigen.

REGEL 9

Haben Sie Mut zur Pause. Lassen Sie den Muskeln Zeit zur Regeneration. Gönnen Sie sich zwischen den Serien mindestens 1 Minute, zwischen den Sätzen 3 Minuten oder länger Pause, in denen Sie sich einfach entspannen oder die beanspruchten Muskeln aktiv regenerieren, z.B. mit Stretching (Regel 3).

REGEL 10

Sie können natürlich das Fitneßprogramm ganz allein durchführen. Doch Sport macht erst in Gesellschaft richtig Spaß. Suchen Sie sich Gleichgesinnte. Der Kampf gegen die Bewegungsträgheit wird erfolgreicher sein, der Sieg über den «inneren Schweinehund» leichter fallen. Der billigste Fitneßanbieter ist immer noch der Sportverein. Dort werden Sie auch fachgerecht angeleitet. Das Geschäft mit der Fitneß betreiben aber auch private Anbieter. Prüfen Sie deren Kompetenz genau. Fragen

Sie z.B. nach der Qualifikation der beschäftigten Trainer. Berufe wie Sportlehrer, Sportmagister, Zusatzqualifikationen wie staatlich geprüfter Übungsleiter, B-, A- oder Diplom-Trainer sowie Sport- oder Physiotherapeut setzen ein mehrjähriges Studium oder zahlreiche Fortbildungslehrgänge voraus. Solchen Fachkräften können Sie in der Regel vertrauen.

BEISPIELE FÜR DAS PERSÖNLICHE FITNESSPROGRAMM

Die Beispiele sind keine Rezepte, an die Sie sich unbedingt halten müssen. Sie sind lediglich Empfehlungen, wie man aus den zahlreichen Übungen ein ganz persönliches Fitneßprogramm zusammenstellen kann. Welche Übungen Sie auswählen, wird ganz davon abhängen, wo das Programm durchgeführt werden kann. Die musterhafte Aneinanderreihung der Übungen folgt dem Prinzip der funktionalen Belastung (siehe Regeln S. 13–16). Halten Sie den harmonischen Wechsel von Anspannung (Kräftigung) und Entspannung (Dehnen/Stretchen) auf jeden Fall durch.

PROGRAMM A

Gerader Crunch, Übg. S. 24–26
Gerade Bauchmuskeln
3 Sätze / 4–8 Wiederholungen

Rumpfheber, Übg. S. 36 u. 37
Rückenmuskeln
3 Sätze / 4–8 Wiederholungen

1 Minute Pause
Entspannen und Rücken entlasten mit Übg. S. 49
mehrfach auf jeder Seite wiederholen

Beinanziehen, Übg. S. 104
Adduktoren
3 Sätze / 10–15 Wiederholungen

1 Minute Pause
Dehnen mit Übg. S. 111

Beinabspreizen, Übg. S. 105
Abduktoren
3 Sätze / 10–20 Wiederholungen

3 Minuten Wirbelsäulenentspannung mit Übg. S. 48 u. 50

PROGRAMM B

Diagonaler Crunch, Übg. S. 27
Schräge Bauchmuskeln
3 Sätze / 4–8 Wiederholungen

Beinheber, Übg. S. 38
Rückenmuskeln
3 Sätze / 4–8 Wiederholungen

1 Minute Rücken dehnen mit Übg. S. 51
mehrfach wiederholen

Knieliegestütz, Übg. S. 66
Arm- und Schultermuskeln
3 Sätze / 6–12 Wiederholungen

Bizeps-Curl, Übg. S. 72 u. 73
Armbeuger
3 Sätze / 8–12 Wiederholungen

3–5 Minuten Arm- und Schultermuskeln dehnen mit Übg. S. 85 u. 86

PROGRAMM C

Press-Crunch, Übg. S. 26
Gerade Bauchmuskeln
3 Sätze / 4–8 Wiederholungen

Rumpfheber, Übg. S. 36
Rückenmuskeln
3 Sätze / 4–8 Wiederholungen

1 Minute Pause
Rücken dehnen und entspannen mit Übg. S. 50 u. 51

Kniebeugen, Übg. S. 102
Oberschenkelmuskeln
3 Sätze / 4–10 Wiederholungen für jedes Bein

Bein-Lift, Übg. S. 101
Hüftbeugemuskeln
2 Sätze / 4–6 Wiederholungen für jedes Bein

3–5 Minuten dehnen mit Übg. S. 119, 121 oder 122

Die Programme A, B und C können im Wechsel durchgeführt werden (z.B. montags Programm A, mittwochs Programm B und freitags Programm C). Auch eine Kombination zu einem einzigen Tages-Programm ist möglich. Die Anzahl der Sätze und der Wiederholungen können dem persönlichen Fitneßzustand angepaßt werden. Reduzieren Sie zuerst die Wiederholungen, wenn Sie sich von der Trainingsempfehlung überfordert fühlen. Die Sätze verringern Sie im zweiten Schritt. Fühlen Sie sich unterfordert, dann verfahren Sie umgekehrt: Steigern Sie die Anzahl der Sätze auf 5, die Wiederholungen um 2–5. Bei den Bauchmuskelübungen können Sie die Trainingswirkung erhöhen, wenn Sie eine Haltephase in der eingerollten Körperposition von 4–6 Sekunden nach jeder Wiederholung einbauen.

BEISPIEL FÜR DAS TRAINING MIT GRUPPEN

Für das Gruppentraining im Sportverein empfiehlt sich die Organisation des Fitneßprogramms nach dem Prinzip des Kreistrainings (auch Zirkel- oder Circuittraining genannt). In einer Art Rundlauf werden Übungen mit unterschiedlicher Muskelbeanspruchung hintereinander geschaltet. Bei größeren Gruppen empfiehlt sich das «Üben nach Zeit»: Die Übungen werden an der einzelnen Station z.B. 20 Sekunden lang möglichst oft wiederholt. Die Pause zum Wechsel zur nächsten Station beträgt ebenfalls 20 Sekunden, usw.

PROGRAMM

1. **Skippings** Übg. S. 100 (Herz-Kreislauf-Anregung)
2. **Crunch,** Übg. S. 24 (gerade Bauchmuskeln)
3. **Beinestrecken,** Übg. S. 41 (Rücken- und Gesäßmuskeln)
4. **Beinheber,** Übg. S. 104 (Hüftbeugermuskeln)
5. **Kniebeuge,** Übg. S. 106 (Bein- und Hüftstrecker)
6. **Bein-Curls,** Übg. S. 109 (Kniebeuger)
7. **Beinanziehen,** Übg. S. 111 (Oberschenkel-Innenseite)
8. **Beinabspreizen,** Übg. S. 112 (Oberschenkel-Außenseite)
9. **Diagonaler Crunch,** Übg. S. 27 (Schräge Bauchmuskeln)
10. **Rumpfheber,** Übg. S. 36 (Rückenmuskeln)
11. **Knieliegestütz,** Übg. S. 66 (Arm- und Schultermuskeln)
12. **Butterflys rückwärts,** Übg. S. 79 (Schulterblattmuskeln)
13. **Butterflys vorwärts,** Übg. S. 79 (Brustmuskeln)
14. **Delta-Lift,** Übg. S. 67 (Schultermuskeln)
15. **Laufen auf der Matte,** Übg. S. 99 (Herz-Kreislauf-Training)

Der «Kreis» besteht aus zwei Blöcken: Übung 1–8 Rumpf- und Beintraining, Übung 9–15 Rumpf- und Armtraining. Er kann auf zwei Trainingseinheiten aufgeteilt und getrennt durchgeführt werden, z.B. dienstags Block A und donnerstags Block B.

Die vorgeschlagenen Übungen können bedürfnisgerecht durch andere Übungen mit gleicher Muskelbeanspruchung ersetzt werden.

Der Kreis ist für eine Gruppe von 15 Personen konzipiert. Müssen mehr Personen beschäftigt werden, kann man die Stationenzahl erhöhen oder zwei Personen an einer Station im Wechsel trainieren lassen (einer übt, der andere hat Pause), so daß maximal 30 Personen beschäftigt werden können. Die Belastungszeit kann variiert werden: 30 Sekunden belasten bei 30 Sekunden Pause. Die Pausen können auch kürzer gestaltet werden, z.B. 20 Sekunden. Dadurch verschiebt sich die Trainingswirkung, und die Muskeln erwerben Kraftausdauer.

Mehrere Rundläufe sind möglich. Die Zahl ist von der zur Verfügung stehenden Gesamttrainingszeit abhängig. 2–3 Durchgänge bei 15 Stationen sind etwa in 45 Minuten zu schaffen.

Die Pause nach einem Durchgang sollte mindestens 3 Minuten betragen. In der Pause die beanspruchten Muskelpartien dehnen und die Wirbelsäule entspannen.

Nach dem Gesamtprogramm 10–15 Minuten die Muskulatur dehnen. Welche Stretching-Übung zu welcher Kraftübung paßt finden Sie in der folgenden Tabelle:

KRÄFTIGEN	DEHNEN
Rumpf	
Bauchmuskeln S. 24–32	nicht dehnen
Rückenmuskeln S. 36–41,	Nest S. 48
57, 59, 60	Jogasitz 49, Rumpftwist S. 50–51
	Rumpfdreher S. 52
	Kniewaage S. 44
	Entspannung S. 65

KRÄFTIGEN	DEHNEN
Arme / Schultergürtel S. 66, 67, 70, 71	Stretching für Schulter und Nacken S. 85 u. 86
Hüfte / Beine	
Laufen, Hüpfen, Kniebeugen und -strecken S. 99–106	Kicks S. 107 Dehnen im Stand S. 117, Schenkeldehnen S. 119,121
Beinlifts S. 104	Schenkeldehnung S. 119,121
Bein-Curls S. 109	Kicks S. 115 u. S. 116
Adduktoren S. 111	Adduktoren-Dehnung im Sitzen S. 126
Wadenmuskeln S. 107, 114	Kicks S. 115/116, Dehnung im Stand S. 117
Schienbeinmuskeln S. 113	Nur bei starker Beanspruchung dehnen

DAS KRÄFTIGT DEN BAUCH

Mit diesen Übungen bekommen Sie schlaffe Bauchmuskeln schnell in den Griff. Entscheidend dabei ist die richtige Technik. So wird's gemacht:

Legen Sie sich auf eine Unterlage auf den Boden (Matte, Badetuch o.ä.). Winkeln Sie die Oberschenkel in der Hüfte mindestens 90 Grad an. Die Arme sind ausgestreckt neben dem Körper. Langsam den Oberkörper vom Boden anheben, Schultern und Arme dabei nach vorn schieben, bis Sie nicht weiter einrollen können. In der Endstellung etwa 4–6 Sekunden verharren (wenn Sie sehr kräftig sind, auch länger). Danach langsam den Körper wieder ablegen.

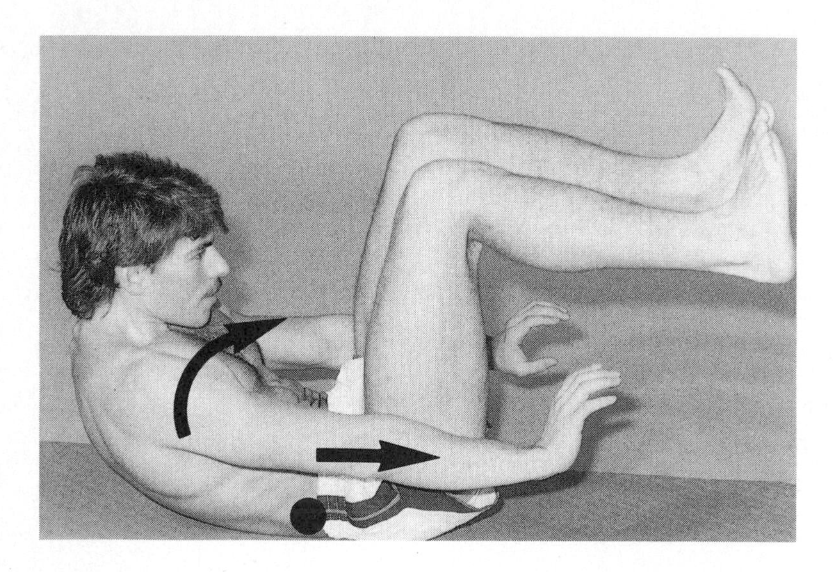

■ *Wichtig:*
Hände nicht in den Nacken oder hinter den Kopf nehmen. Auf diese Weise vermeiden Sie ein Zerren an der Halswirbelsäule. Beim Üben – selbst in der größten Anstrengung – das ruhige Atmen nicht vergessen. Niemals ruckhaft und schnell die Bewegung ausführen. Den besten Trainingseffekt erzielen Sie, wenn Sie den Oberkörper langsam anheben und wieder senken.

Variationen:
Wenn Sie die Fersen auf einen Stuhl oder ähnliches legen, gelingt die richtige, rückenschonende Ausführung am Anfang leichter. Wollen Sie die Anstrengung erhöhen, kreuzen Sie die Arme auf der Brust.

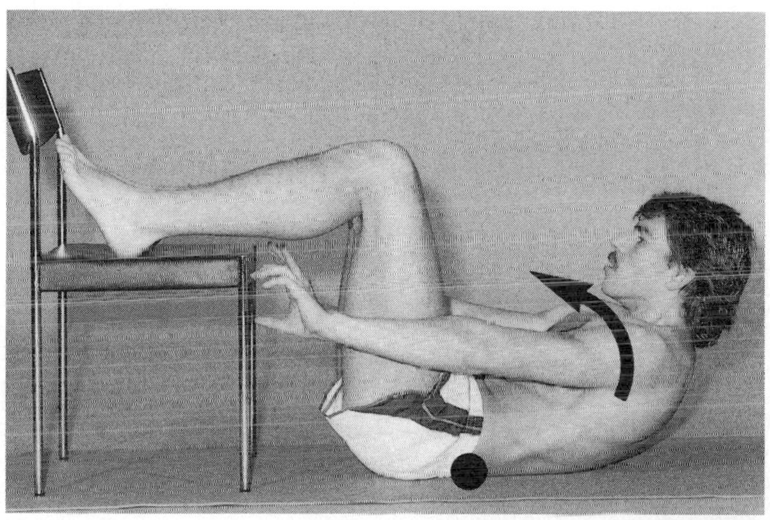

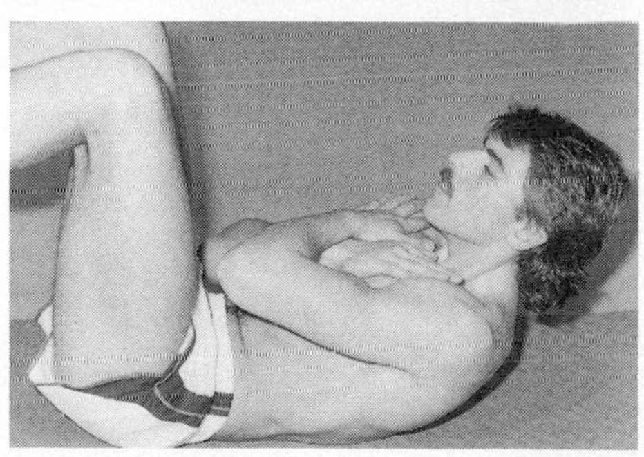

DER PRESS-CRUNCH

Auch diese Übung kräftigt die Bauchmuskulatur. Rumpf anheben wie beim geraden Crunch. Um aber die wirbelsäulenbelastende Mitarbeit der Hüftmuskeln auszuschließen, wenden Sie einen einfachen Trick an: Pobacken zusammenkneifen, Hände verschränken und auseinanderziehen wollen, dadurch Spannung im Schultergürtel aufbauen, die Fersen ganz fest auf den Boden drücken. Wenn Sie jetzt den Rumpf anheben, den Druck der Fersen und die Spannung im Schultergürtel und den Gesäßmuskeln aufrechterhalten, haben die Hüftmuskeln keine Chance, die Bauchmuskulatur zu unterstützen. Die Bauchmuskeln werden auf diese Weise sehr isoliert beansprucht.

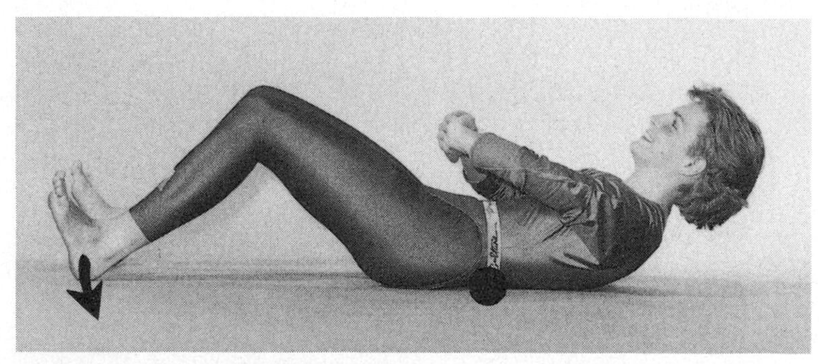

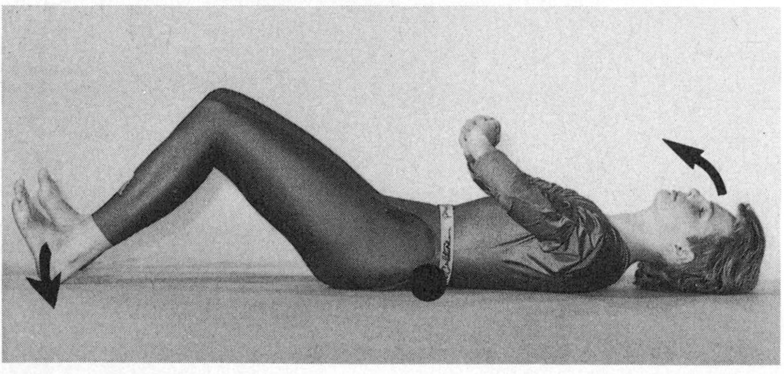

DER DIAGONALE CRUNCH

Der diagonale Crunch trainiert die häufig schwachen schrägen Bauchmuskeln. In der Rückenlage auf einer weichen Unterlage Hände falten und Beine anwinkeln. Rumpf einrollen, dabei mit den Händen an den Beinen rechts vorbeischieben. Gleichzeitig die Knie entgegengesetzt links vorbeiziehen. In der Endstellung ca. 4–6 Sekunden anhalten, dann Oberkörper langsam wieder ablegen und die Beine in die Ausgangsstellung bringen. Danach die Übung auf der linken Seite nach dem gleichen Muster ausführen.

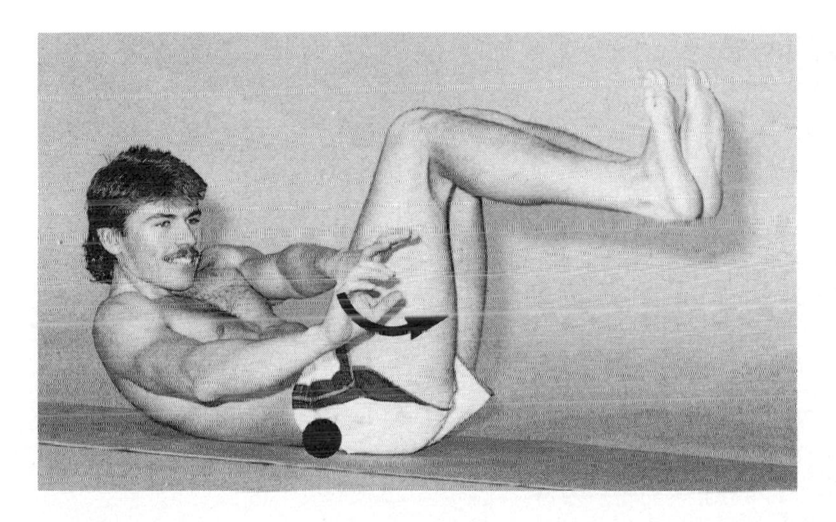

■ *Wichtig:*

Um eine möglichst große Trainingswirkung zu erzielen, ist die richtige Ausführung besonders wichtig: Erst mit dem Oberkörper einrollen, dann Knie diagonal vorbeiziehen. Auch die Lendenwirbelsäule wird Ihnen für die korrekte Technik dankbar sein.

DER BECKEN-LIFT

Diese Übung für die gerade Bauchmuskulatur ist etwas für Könner. Sie gelingt nur, wenn Sie schon über kräftige Muskeln verfügen, aber weiterhin den Bauch trainieren wollen.

In der Rückenlage die Beine kreuzen. Bauchmuskeln anspannen und versuchen, das Becken ein wenig vom Boden anzuheben.

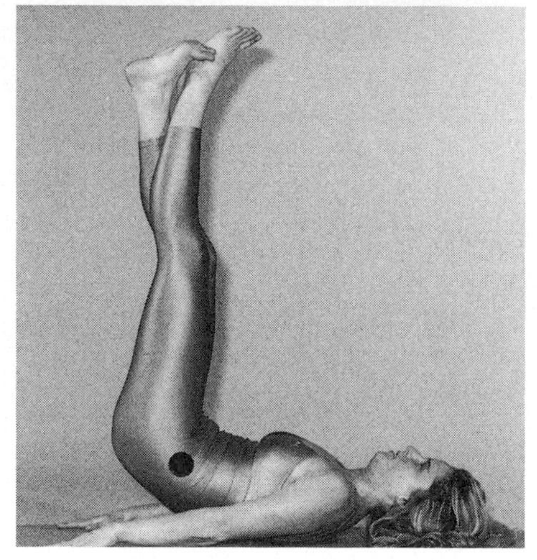

■ *Wichtig:*
Die Übung ist sehr anstrengend. Auch hier nicht das Atmen vergessen. Seien Sie nicht enttäuscht, wenn der Becken-Lift nicht gleich gelingt. Ihre Bauchmuskeln sind dann noch nicht kräftig genug.

Übrigens: Sie trainieren mit dieser Übung mehr den unteren Anteil der geraden Bauchmuskulatur.

Variation:
Sie vollbringen eine Spitzenleistung, wenn Ihnen der Becken-Lift mit gewinkelten Beinen gelingt. Hüft- und Kniegelenke 90 Grad beugen, Oberschenkel senkrecht halten und das Becken nun vom Boden abheben. Wenige Zentimeter reichen schon, um die Bauchmuskeln kräftig zu beanspruchen.

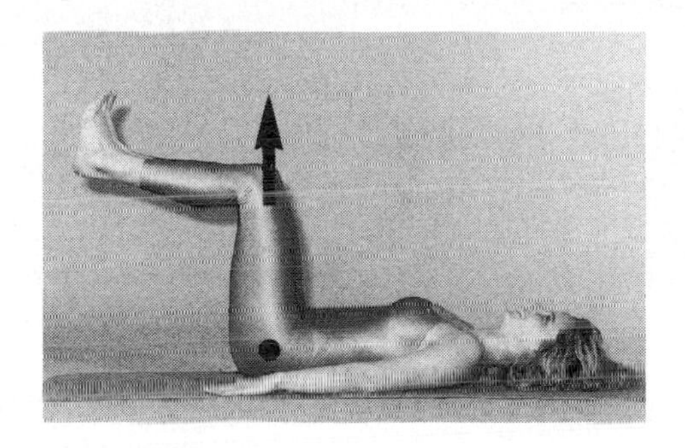

■ *Wichtig:*
Keine Rollbewegung rückwärts machen oder versuchen, ruckhaft das Becken anzuheben. Sie betrügen sich dadurch nur selbst und mindern die Trainingswirkung.

☛ *Der besondere Tip:*
Die Übung gelingt leichter, wenn Sie sich mit den Händen an den Beinen eines Partners, an einer Sprossenwand oder unter einem Schrank festhalten können.

Das Beine-Heben in der Seitenlage hat eine sehr komplexe Wirkung. Es kräftigt nicht nur die schrägen Bauchmuskeln, sondern auch Oberschenkelinnen- und -außenseite, die Beinanzieher und -abspreizer. Teile der Rückenmuskulatur sind auch noch beteiligt. Ganz einfach ist die Übung allerdings nicht. Sie benötigen etwas Konzentration und Körpergefühl, wenn Sie sie richtig ausführen wollen. So gelingt es noch am leichtesten:

Auf einer Unterlage in die Seitenlage legen. Eine Hand unter den Kopf, die andere vor dem Körper abstützen. Das untere Bein ganz ausstrecken, das obere dagegen in der Hüfte und im Kniegelenk 90 Grad abwinkeln. Körper in der Seitenlage gut stabilisieren. Jetzt beide Beine vom Boden abheben so weit es geht.

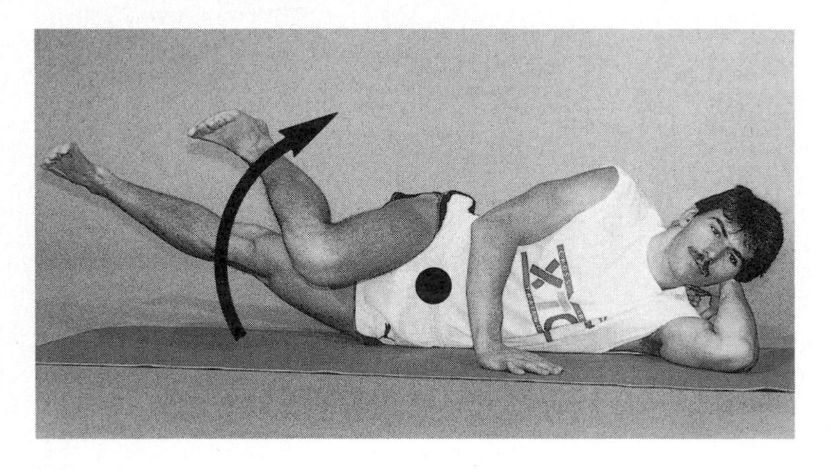

■ *Wichtig:*
Das untere Bein sollte ganz gestreckt bleiben.

Variation:
Mit Gewichtsmanschetten (Condi-Band) kann die Trainingswirkung verstärkt werden.

DER SEITLICHE RUMPFHEBER

Das diagonale Hochziehen des Oberkörpers gelingt am besten, wenn Sie die Füße von jemandem festhalten lassen (oder unter einen Schrank o.ä. stecken). Den Oberkörper langsam heben und senken. Wenn Sie in der Endstellung wieder 4–6 Sekunden halten, verstärken Sie die Trainingswirkung.

■ *Wichtig:*
In der Seitenlage bleiben. Nicht mit dem Oberkörper beim Aufrichten drehen.

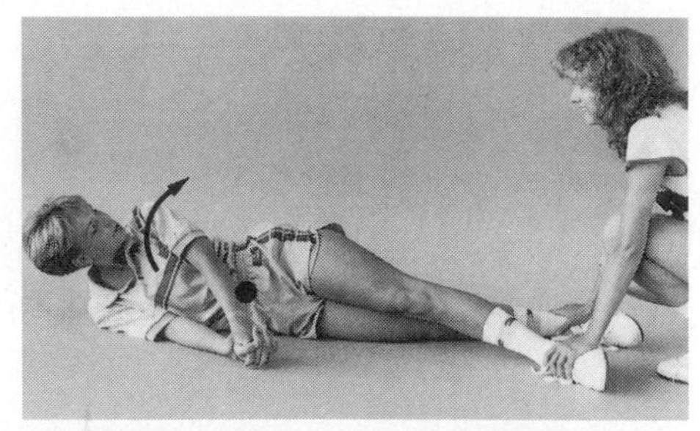

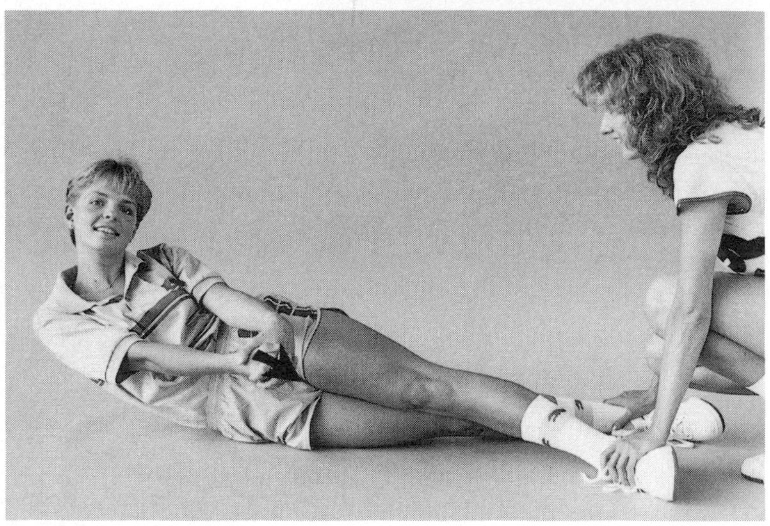

GIFT FÜR DIE WIRBELSÄULE: SIT-UPS

Auf Sit-ups, Klappmesser und verwandte Übungen können Sie im Bauchmuskeltraining getrost verzichten. Sie schaden mehr als sie nützen. Denn statt die Bauchmuskeln zu beanspruchen, trainieren sie vorwiegend die im Innern der Beckenschaufeln verlaufende Hüftbeugemuskulatur. Ein starker Teil dieser Muskeln, der große Lendenmuskel, entspringt an der unteren Wirbelsäule. Er ist dafür verantwortlich, daß falsches Bauchtraining so ins Kreuz geht und die Bandscheiben, vor allem aber die sehr empfindlichen kleinen Wirbelgelenke hoch druckbelastet.

Machen Sie selbst einmal einen Versuch: Setzen Sie sich auf den Boden und heben die Beine gestreckt an. Halten Sie die Beine in dieser Stellung solange es geht. Nicht die Bauchmuskeln werden Sie spüren, sondern das Kreuz. Genau deswegen werden Sie auch allmählich die Beine sinken lassen müssen, wenn der Schmerz in der Lendenwirbelsäule nicht mehr auszuhalten ist.

Besonders gefährlich für den Rücken sind Sit-ups auf dem Bauchtrainer. Wenn Sie zur Steigerung der Trainingswirkung Gewichte in den Nacken nehmen, erhöht sich die schädigende Belastung gleich um ein Vielfaches.

Spitzenbelastungen von 400–700 kg können auftreten. Beinahe das Gewicht eines Kleinwagens.

Seit Turnvater Jahn quälen sich Fitneß-Sportler mit Klappmessern herum. Auch diese Allerweltsübung hält leider nicht, was sie verspricht. Beim schwunghaften Zusammenschlagen von Händen und Beinen wird die Lendenwirbelsäule immer wieder falsch belastet.

Wenn Sie bereits Probleme mit der Lendenwirbelsäule haben, kann ein sinnvolles Bauchmuskeltraining sehr heilsam wirken. Verzichten Sie aber auf jeden Fall auf falsche Übungen. Die Wirbelsäule ist eine zentrale Säule unseres Wohlbefindens. Ihr sollten wir nur Gutes zumuten.

DAS TUT DEM RÜCKEN GUT

Schwache Bauchmuskeln gefährden den Rücken. Sie sind die Hauptursache für schlechte Haltung und viele Probleme der Wirbelsäule. Kräftigungsübungen für die Bauchmuskulatur sind deswegen eine ausgezeichnete Therapie für die Alltagsbeschwerden mit dem Kreuz. Sie dürfen in keinem Fitneßtraining fehlen. Intakte Bauchmuskeln sind aber keineswegs alleiniger Schutz gegen Wirbelsäulenbeschwerden. Um die Wirbelsäule rundum richtig stützen zu können, müssen die Rückenmuskeln auf ihrer «ganzen Länge» gut trainiert sein. Denn nur so gelingt es, eine gute Haltung aufzubauen und die alltäglichen Anforderungen an das Rückgrat in Beruf und Sport auszuhalten. Was Sie alles für einen gesunden Rücken tun können, zeigen wir Ihnen auf den nächsten Seiten.

DER RUMPFHEBER

Bäuchlings auf einer Unterlage die Arme im Schulter- und Ellbogengelenk 90 Grad gewinkelt neben dem Körper auf den Boden legen. Jetzt kommt es wieder auf die exakte Ausführung der Übung an,

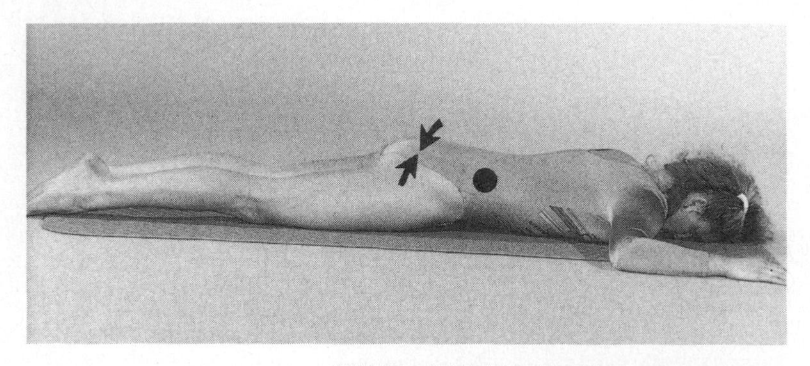

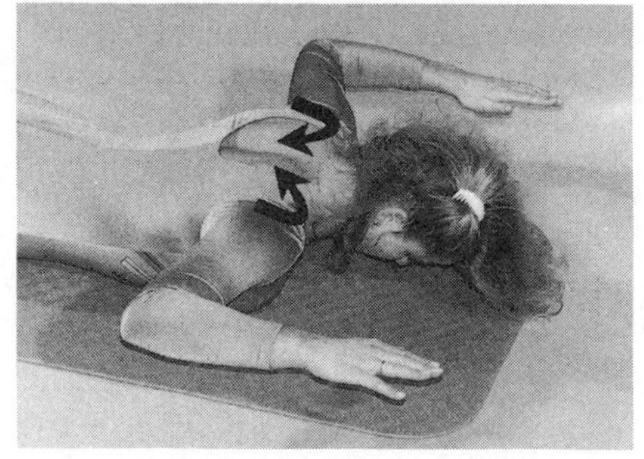

wenn es der Wirbelsäule nicht schaden soll: Beginnen Sie die Übung stets mit «Po zusammenkneifen» und «Bauchmuskeln» anspannen, dann heben Sie die Arme vom Boden an. Erst jetzt folgt der Oberkörper. Um eine gute Wirkung zu erzielen, brauchen Sie sich nur wenige Zentimeter vom Boden zu entfernen. Das reicht schon, um die tiefen Rückenmuskeln zu kräftigen. Führen Sie die Bewegung nur mit mäßiger Geschwindigkeit aus. Dadurch wird die Wirbelsäule im Lendenbereich schonend belastet.

■ *Wichtig:*
Kopf immer in Verlängerung der Wirbelsäule halten. Niemals in den Nacken nehmen, immer auf den Boden schauen. Beim Senken des Oberkörpers in umgekehrter Reihenfolge verfahren: Erst den Rumpf, dann die Arme ablegen. Zum Schluß die Gesäßmuskeln locker lassen. Ruhig weiter atmen. Bei Wiederholung der Übung in der anfänglichen Reihenfolge beginnen: Zuerst die Gesäßmuskeln anspannen, dann Arme und später Rumpf anheben.

Bäuchlings auf eine Unterlage legen. Arme zu einem Dreieck formen und Stirn auf die Finger drücken. Wie beim «Rumpfheber» zunächst die Gesäß- und Bauchmuskeln anspannen. Im Wechsel jeweils ein Bein nur wenig vom Boden abheben. Der Beckenkamm der Übungsseite muß immer Kontakt zum Boden haben. Das Bein ganz gestreckt anheben. Die Fußspitze dabei anziehen, nicht strecken und einwärts drehen.

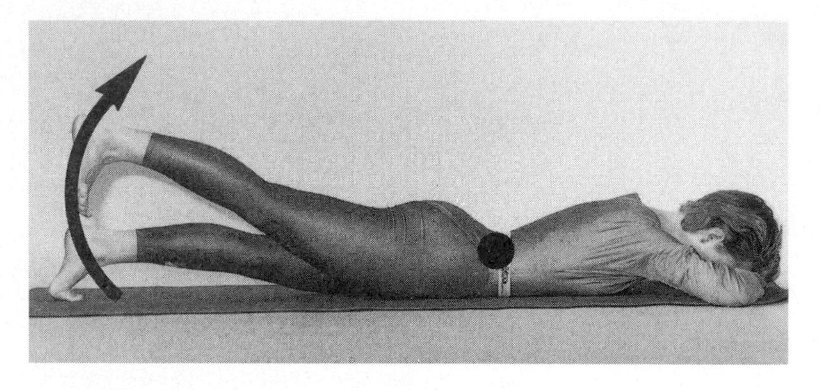

Variation:
Die Trainingswirkung wird gesteigert, wenn beide Beine gleichzeitig angehoben werden.

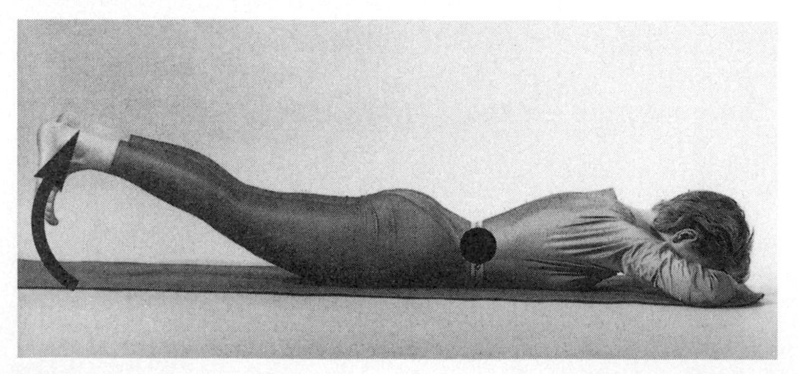

■ *Wichtig:*
Bei allen Übungen muß das Becken fest auf dem Boden liegen bleiben. Dadurch bleibt die Wirbelsäule stabil und verträgt die Belastung des «langen Hebels der Beine» besser. Immer wieder wird das Rückentraining «von den Beinen her» falsch gemacht, weil die Beine mit Abheben des Beckens hoch geschwungen werden. Weniger ist auch hier mehr: Einige Zentimeter reichen wieder völlig aus. Hauptsache, Sie können Spannung in der tiefen Rückenmuskulatur aufbauen.

DAS BEINESTRECKEN

Das Beinestrecken in der hier vorgestellten Form ist die «hohe Schule des Rückentrainings». Es gibt keine bessere Übung, um die langen Streckmuskeln des Rückens zu kräftigen. Legen Sie sich zu diesem Zweck auf zwei stabile Stühle (eine Bank, der Couchtisch oder in der Sporthalle ein Kasten tun es auch). Mit den Händen gut festhalten.

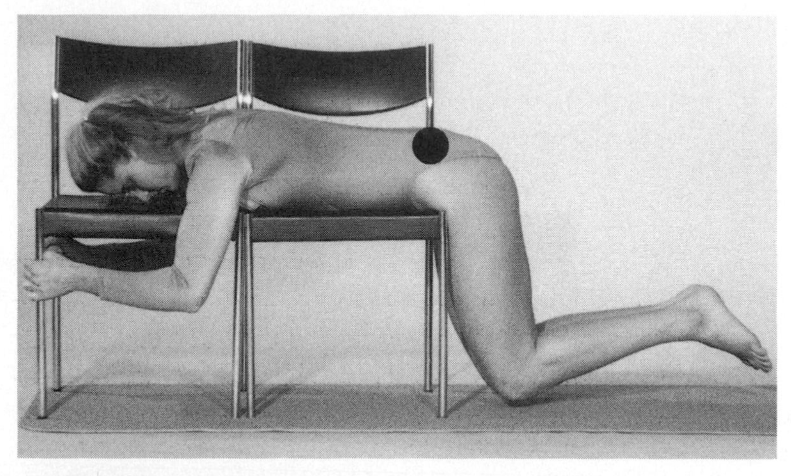

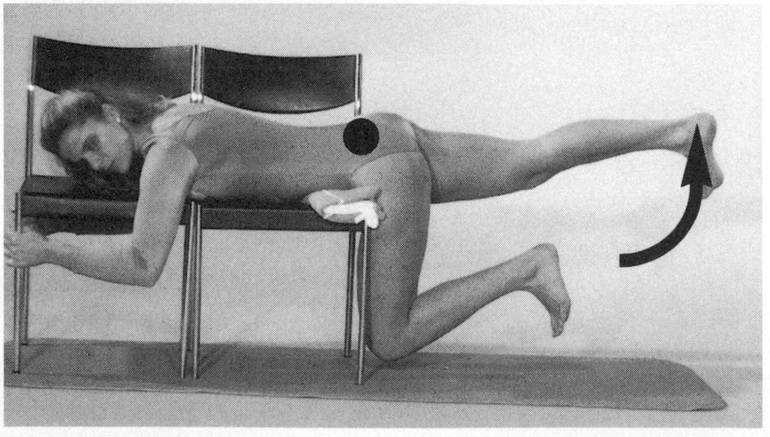

Drücken Sie mit dem linken Bein gegen den Stuhl. Das rechte Bein bis zur Waagerechten strecken und umgekehrt. Das ist die erste Stufe der Belastung.

Sie steigern die Belastung, wenn Sie z.B. einen Skistiefel oder eine Gewichtsmanschette (Condi-Band) als Zusatzlast verwenden.
Die höchste Stufe der Belastung ist erreicht, wenn die Übung beidbei-

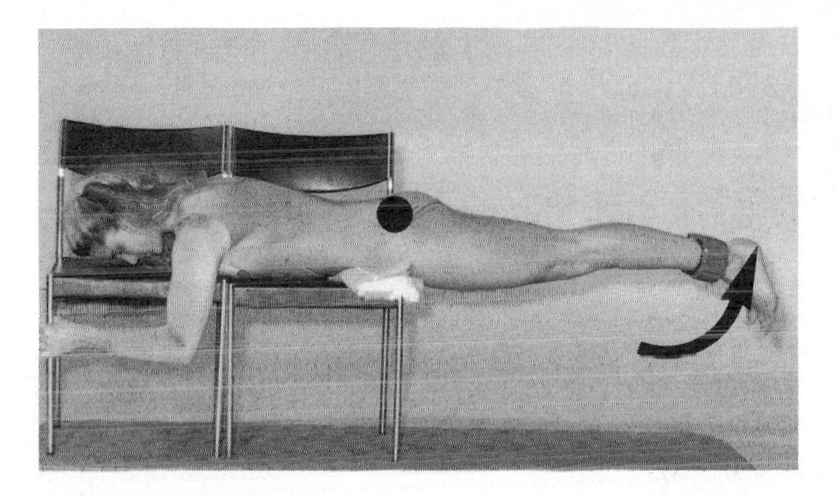

nig ausgeführt wird, die allerhöchste, wenn Sie beidbeiniges Strecken mit Gewichtsmanschetten schaffen.

■ *Wichtig:*
Das Beinestrecken immer als eine Art «stampfende Bewegung» ausführen: Knie- und Hüftstreckung gleichzeitig. In der Endphase ist das Bein völlig gestreckt, die Fußspitze aber angezogen.

☛ *Der besondere Tip:*
Ein mehrfach gefaltetes Handtuch mildert den Druck an der Stuhl- oder Tischkante.

SANFTE RÜCKENÜBUNGEN

Die nachfolgenden Übungen kräftigen nicht nur, sondern machen gleichzeitig auch die Wirbelsäule beweglich. Ihre Wirkung wird zumeist als wohltuend empfunden. Sie bessern die Körperhaltung und können immer dann eingesetzt werden, wenn der Rücken im Beruf oder beim Sport stark beansprucht worden ist.

DER KAUERSITZ

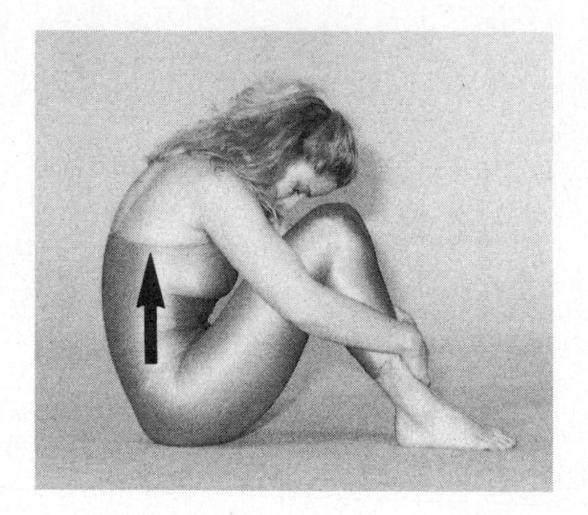

Kauern Sie sich im Sitz ganz zusammen. Langsam aufrichten, so als würden Sie an den Haaren nach oben gezogen. Ganz aus dem «unteren Kreuz» herausstrecken. Einige Sekunden aufgerichtet verharren. Dann lassen Sie sich wieder langsam zusammenfallen. Mehrfach diese Aktion wiederholen. Die Übung kräftigt die Rückenmuskeln auf der ganzen Länge, erzieht zu einer guten Körperhaltung und hält die Wirbelsäule beweglich.

■ *Wichtig:*
Konzentrieren Sie sich darauf, daß Sie in der unteren Lendenwirbelsäule nicht ausweichen, auch wenn das Kreuz allmählich von Wiederholung zu Wiederholung «lahmer» wird.

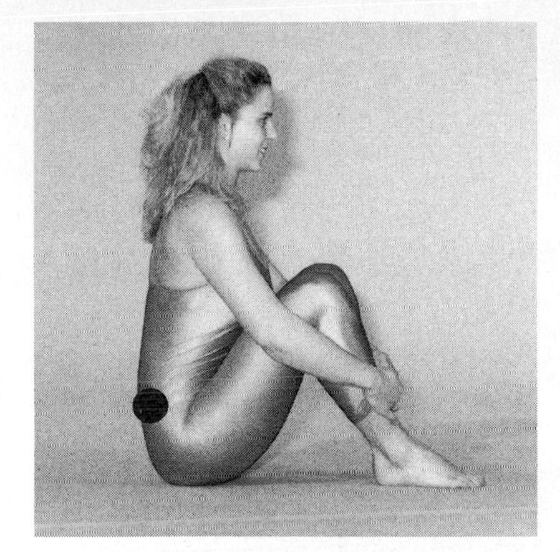

Variation:
Die Trainingswirkung für die langen Rückenstrecker wird erhöht, wenn Sie die Arme senkrecht nach oben und sich aus «dem Kreuz heraus» strecken.

Auf den Boden knien. Diagonal Arm und Bein zusammenführen, als wollten Sie das Knie «küssen». Aus dieser Kauerstellung den Körper öffnen. Arm und Bein parallel zum Boden strecken, Kopf in Verlängerung der Wirbelsäule lassen. Mehrfach auf einer Seite wiederholen, dann wechseln.

■ *Wichtig:*
Fuß des gestreckten Beins nach innen drehen. Dadurch bleibt das Becken in der Querachse ebenfalls parallel zum Boden. Den Kopf nicht in den Nacken nehmen. Immer auf den Boden schauen.

DER KATZENBUCKEL

Im Vierfüßlerstand die Wirbelsäule wie einen Katzenbuckel ganz rund machen. Die Bauchmuskeln dabei kräftig anspannen. Danach Rücken strecken (Pferderücken). Die Übung in sanftem Wechsel mehrfach wiederholen. Das entspannt und hält die Wirbelsäule geschmeidig.

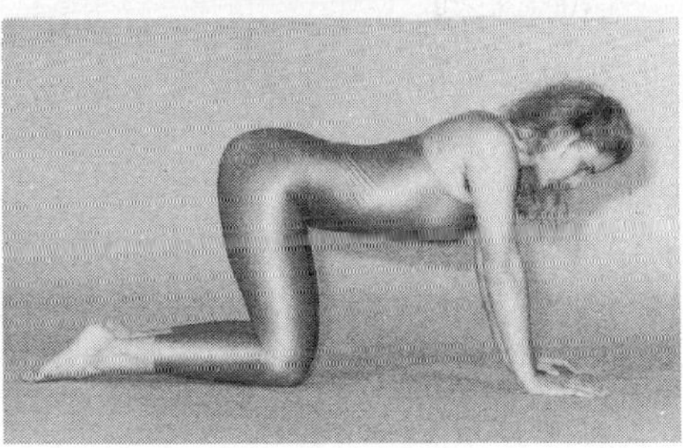

Knien Sie sich auf den Boden. Arme ganz ausstrecken und mit der Kleinfingerseite der Hand auf den Boden setzen. Abwechselnd rechten und linken Arm bis zur Waagerechten vom Boden abheben. Streckt die Brustwirbelsäule und kräftigt den Rücken im oberen Bereich.

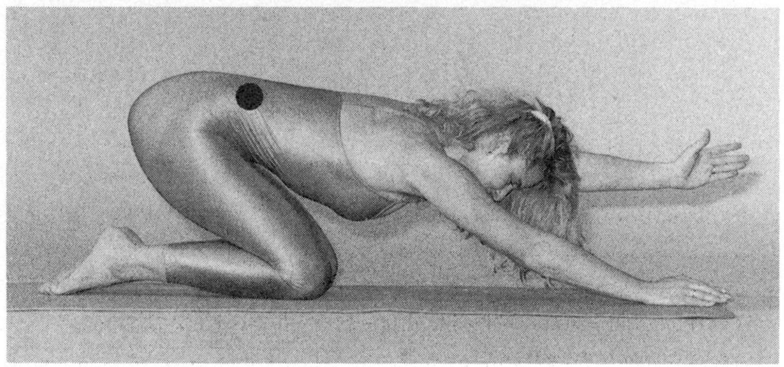

DAS ENTSPANNT: STRETCHING FÜR DEN RÜCKEN

Dem Rücken muten wir im Beruf, beim Sport und im Alltag vieles zu. Vorwiegend sitzende Arbeitsweise, falsches Heben und Bewegen schwerer Lasten und häufig wiederkehrende einseitige Beanspruchungen in Freizeit und Sport lassen die Wirbelsäule schneller altern. Im Tennis z.B. leiden nicht nur die Großen der Szene unter der schlagarmseitigen Beanspruchung. Wenn Boris Becker wegen Rückenproblemen ausfällt, leidet mittlerweile eine ganze Nation. Probleme mit dem Rückgrat können aber auch den Freizeit-Tennis-Crack befallen, wenn er nicht in der Lage ist, mit einem kräftigen Muskelkorsett die Wirbelsäule zu stützen.

Ist der Rücken in der Tat einmal verspannt, hilft Stretching die Steifheit zu lösen. Dehnende Übungen sollten Sie immer auch nach der Rückenkräftigung zum Ausgleich machen. Auf diese Weise halten Sie die Muskeln geschmeidig und beugen Verspannungen besonders im Lendenbereich vor. Vor allem, wenn Sie im Beruf viel sitzen oder stehen müssen, beim Sport die Wirbelsäule häufiger stauchen oder altersbedingt nicht mehr so flexibel sind, kann Rücken-Stretching wirklich wohltuende Wirkung haben.

DAS NEST

Auf den Rücken legen und beide Beine anwinkeln. Mit den Händen die Knie umfassen und zur Brust ziehen. Danach mit dem Oberkörper einrollen und versuchen, mit der Stirn die Knie zu erreichen. In dieser eingerollten Haltung das «Nest» sprengen wollen: Gegen den Widerstand der ziehenden Hände den Körper strecken. Wenn Sie es richtig machen, werden Sie tief im Rücken eine Dehnung spüren.

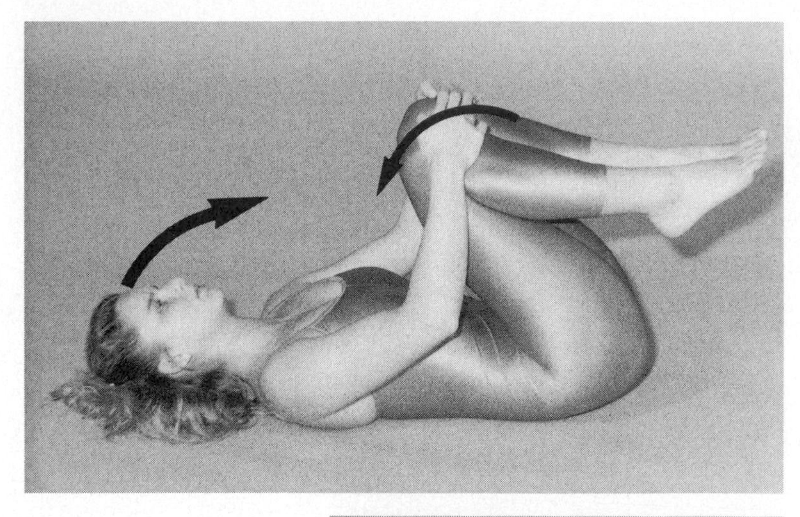

☛ *Der besondere Tip:* Vor dem Schlafengehen angewandt, treibt diese Übung den Alltagsstreß aus den Wirbelgliedern.

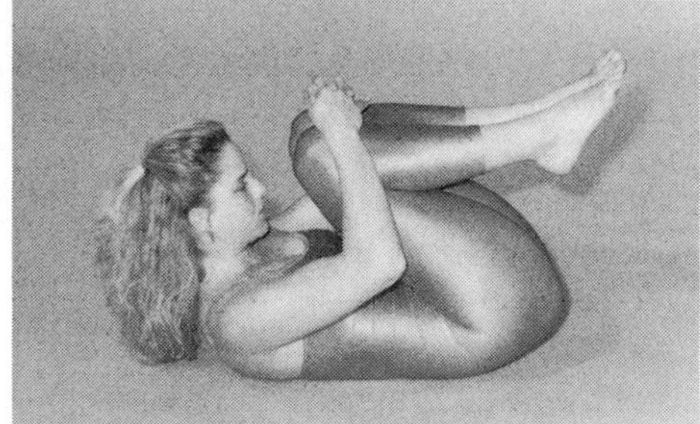

Der Drehsitz ist eine Anleihe beim Joga. Er dehnt einen Teil des großen Gesäßmuskels und macht die Wirbelsäule beweglich. Seine Ausführung will gekonnt sein:

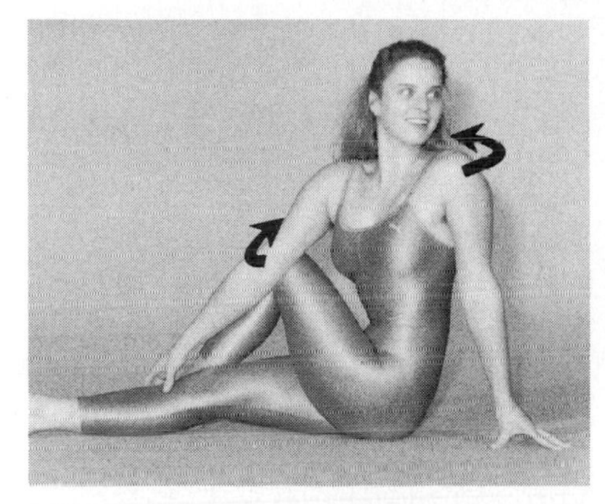

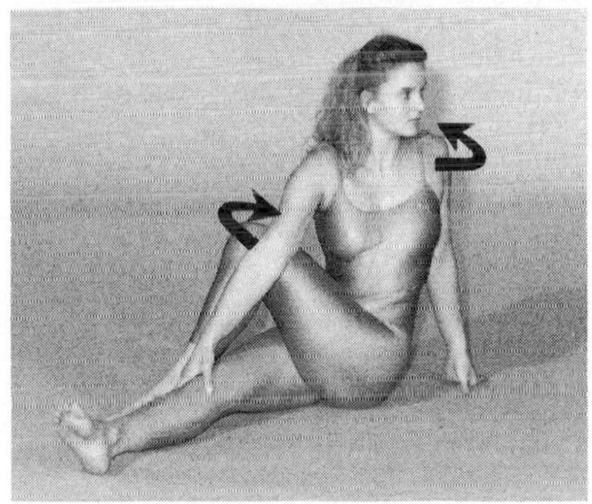

Schlagen Sie ein Bein über das andere. Der Arm drückt gegen das gewinkelte Knie. Richten Sie die Wirbelsäule so gut es geht auf und drehen sich zu einer Seite. Dieses Aufrichten mit gleichzeitigem Drehen verschafft Beweglichkeit in allen Abschnitten der Wirbelsäule.

Ganz einfach ist die Ausführung zwar nicht, doch macht Üben auch hier den Meister. Sollten Sie zu unbeweglich geworden sein und Schwierigkeiten mit der Ausführung haben, wählen Sie die nächste Übung.

DER RUMPFTWIST

Mit gestreckten Beinen auf den Boden legen und ein Knie anwinkeln. Mit einer Hand das Knie langsam auf die andere Seite drücken. Den Kopf dabei in Gegenrichtung drehen und zum anderen Arm schauen.

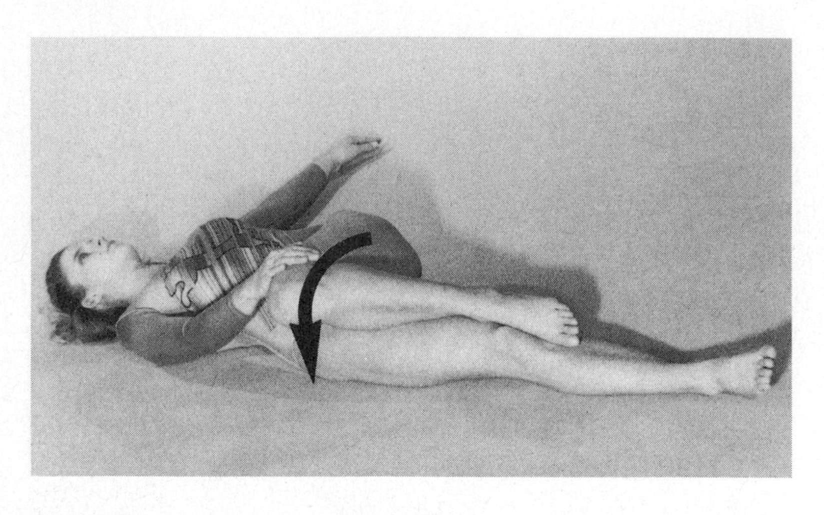

■ *Wichtig:*
Nur so weit drehen, wie die Schultern auf dem Boden bleiben können.

☛ *Der besondere Tip:*
Wenn Sie den Gegenarm ganz gestreckt vom Körper abspreizen, bauen Sie ein Widerlager auf und können die Wirbelsäule besser verwinden.

Variation:
In die Seitenlage legen und Beine anwinkeln. Den Oberkörper langsam in die Rückenlage drehen. Dem Ellenbogen dabei nachschauen. Auch auf diese Art läßt sich die Wirbelsäule beweglicher machen.

☛ *Der besondere Tip:*
Je stärker die Beine angewinkelt werden, desto mehr wandert das «Verwindungszentrum» die Wirbelsäule hinauf in den Brustbereich. Wenn Sie mit mäßiger Winkelstellung beginnen, liegt die Trainingswirkung mehr im Lendenbereich. Stärker angezogen, rutscht der dehnende Effekt mehr und mehr in den oberen Lenden- bzw. unteren Brustbereich hinauf. So können Sie sich durch die ganze Wirbelsäule tasten. Immer wieder in die Seitenlage zurückkehren und die Verwindung abschnittweise neu aufbauen.

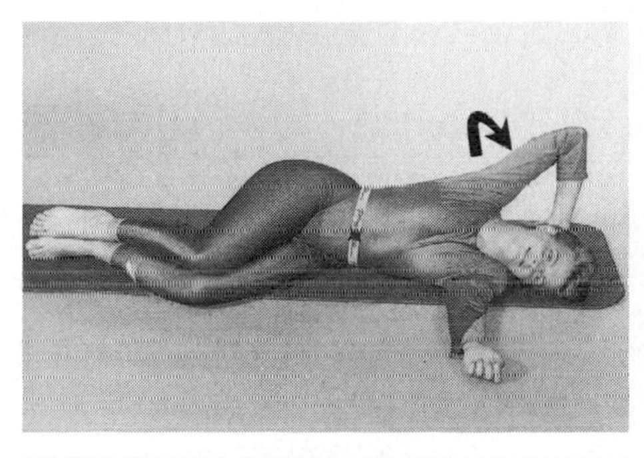

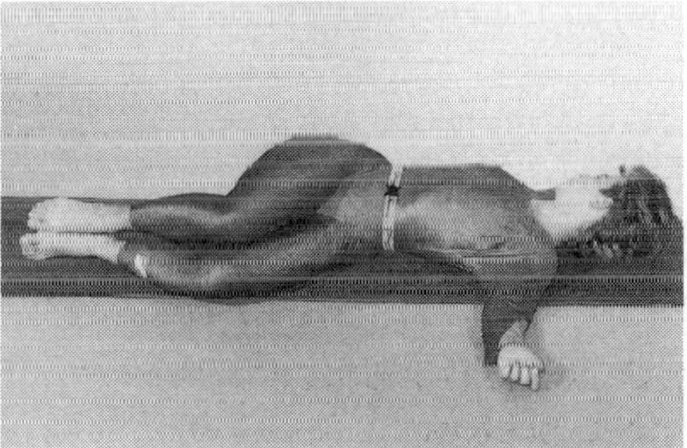

Oft mag oder kann man sich nicht auf den Boden legen. Dann hilft eine Übung im Stand.
Im schulterbreiten Stand die Hände tief in den Nacken legen und Ellbogen nach hinten führen. Wirbelsäule in allen Teilen strecken. Ohne die Hüfte zu verändern (Bauchnabel zeigt immer nach vorn), Rumpf drehen bis «zum Anschlag».

Eine Übung, die zum Aufwärmen und zur Vorbereitung des Rückens auf stärkere Beanspruchung ebenso dienen kann wie zur Entspannung nach größeren Belastungen (z.B. nach dem Jogging).

WIRBEL MÖGEN KEINEN WIRBEL

Viele Rückentrainingsübungen im Sport sind die konsequente Fortsetzung der alltäglichen negativen Belastungen der Bandscheiben und Wirbel. Sie haben im Sport leider eine lange Tradition. Die Auffassung, daß sportliches Training mit Schmerzen verbunden sein muß, ist leider immer noch stark verbreitet. Durch neue Kenntnisse der Funktion des Bewegungsapparats, die teilweise mit computergestützten Diagnosegeräten gewonnen wurden, läßt sich aber nachweisen, daß *funktionales Körpertraining* die Leistungs- und Belastungsfähigkeit des Bewegungsapparats steigern kann, ohne die Gesundheit zu gefährden.

Daß eine Einstellungsänderung dringend notwendig wird, beweist die ständig wachsende Zahl Sportverletzter und Sportgeschädigter. Der Fitneßboom hat eben zwei Seiten: Auf der einen Seite nehmen zwar die Beschwerden am Herz-Kreislauf-System bei Sporttreibenden bis zur Bedeutungslosigkeit ab, auf der anderen Seite aber steigen die Verletzungen und Schäden des Bewegungsapparats durch Sport beträchtlich. Viele der Beschwerden gehen auf das Konto der Übertreibung und der schlechten Vorbereitung. Langzeitschäden allerdings zumeist auf das Konto der fortwährend falschen Beanspruchung des Bewegungsapparats. Zu diesen *falschen* Belastungen gehören auch die folgenden beliebten Rückentrainingsübungen.

Wahre Bandscheibenkiller sind alle Rückenübungen mit freischwingendem Oberkörper, die mit fixierten Beinen bis in die endgradige Rückbiegung der Wirbelsäule ausgeführt werden. Schlimmer noch als die Bandscheiben sind die kleinen Wirbelgelenke dran. Die Stauchungen ihrer empfindlichen Gelenkflächen können sich mit lästigen Reizzuständen und frühzeitigen Abnutzungserscheinungen bitter rächen. Vermeiden Sie auch eher harmlos erscheinende Übungen wie z.B. die Bauchschaukel. Sie ist zu nichts nutze und bekommt der Lendenwirbelsäule schlecht.

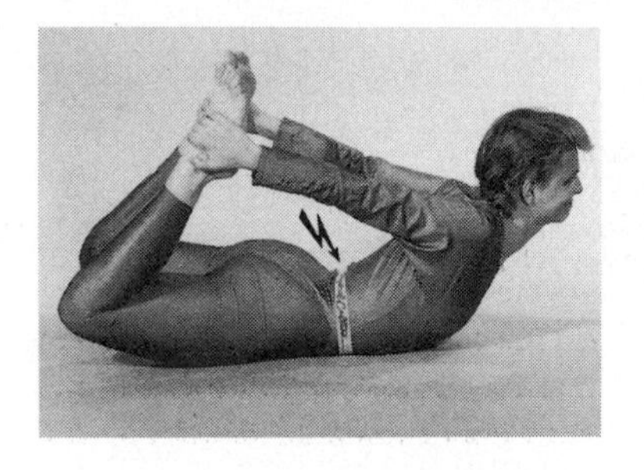

Machen Sie einen großen Bogen um Rückentrainingsmaschinen in Fitneßstudios, bei denen die ganze Last mit dem schwächsten Teil der Wirbelsäule, dem Übergangsbereich von der Hals- zur Brustwirbelsäule, bewegt wird. Üben Sie statt dessen in Maschinen, die trotz gezielter Beanspruchung die empfindlichen Strukturelemente der Wirbelsäule schonen.

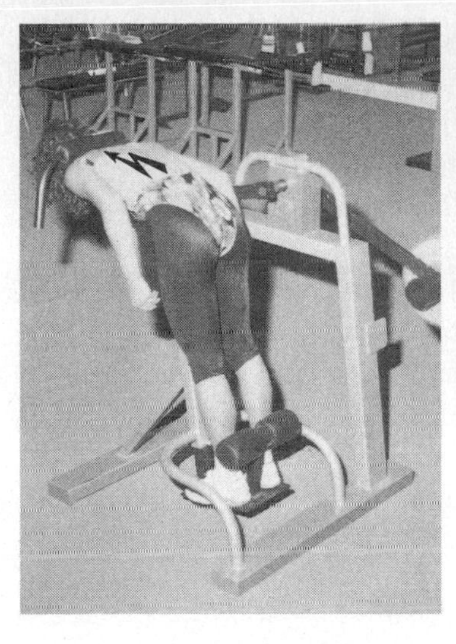

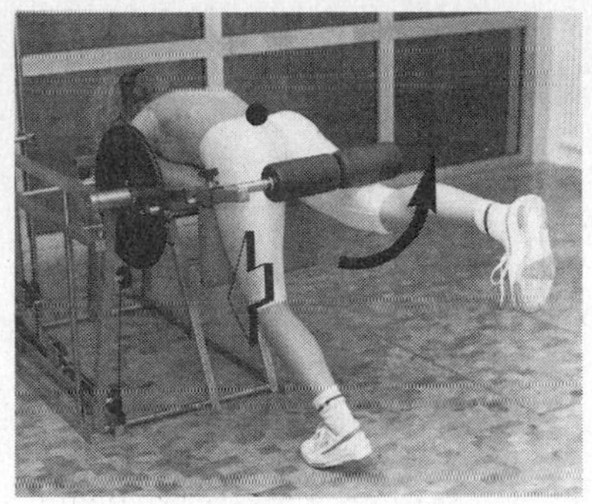

Links: falsch
Rechts: richtig

Vermeiden Sie Übungen wie «Beine ausschütteln in der Kerze» oder das «Rückrollen» zur Dehnung der Rückenmuskeln. Den ganzen Schwung der Bewegung sowie die ganze Last des Körpers muß auch hier der schwächste Abschnitt der Wirbelsäule aushalten.

Wenn Sie keine gesunde Wirbelsäule haben, seien Sie besonders vorsichtig. Lassen Sie sich von einem erfahrenen Sportphysiotherapeuten oder Orthopäden beraten, welche Übungen Sie wie und wie oft ausführen dürfen. Wirbel mögen zwar keinen Wirbel, doch auch Nichtstun gegen Rückenbeschwerden ist eine schlechte Lösung. Viele Rükkenleiden lassen sich ohne Einsatz von Medikamenten durch aktives, aber funktionales Training in den Griff bekommen. Funktionsgymnastik, Rückenkurse, Wirbelsäulentraining werden überall angeboten und sind eine echte Alternative zum normalen Sport. Auch Krankenkassen organisieren Kurse, in denen Sie lernen können, wie sie «mehr Rückgrat bekommen».

Erkundigen Sie sich an Ihrem Wohnort, wo funktionales Rückentraining im Verein oder spezielle therapeutische Kurse durchgeführt werden.

WAS SIE NOCH FÜR EINEN GESUNDEN RÜCKEN TUN KÖNNEN

Unsere nach allen Seiten biegsame Wirbelsäule ist mit starken Muskelschlingen wie ein Schiffsmast verspannt. Ein ebenso geniales wie raffiniertes System von kräftigen Bändern gibt ihr zusätzlich Halt. So leicht gerät sie nicht ins Wanken. Im Sport allerdings wird das «Bauelement Wirbelsäule» trotz aller Konstruktionsvorteile immer wieder überfordert. Enorme Schleuderbewegungen, Stauchungen und Biegungen verlangen von ihr Schwerstarbeit, die nur dann schadlos ertragen wird, wenn ein Muskelkorsett alle Bauteile wirksam schützt.

Das Ziel der folgenden Übungen ist das Training der Muskelschlingen «im Verbund». Die Rumpfmuskeln sollen «lernen», mit benachbarten Muskelgruppen zusammenzuarbeiten. Solche sogenannten *Stabilisationsübungen* für zusammenwirkende Muskeln dienen der Kräftigung zum Aufbau einer zweckmäßigen Körperstatik auf koordinativem Wege.

Für alle Übungen gilt:

- Langsam die verlangte Körperposition aufbauen
- Auf genaue Ausführung achten
- Jede Körperposition sollte mindestens 15 Sekunden aufrechterhalten werden können
- Die einzelnen Übungen beenden, wenn die stabilisierenden Muskeln ermüden

Wenn Ihnen auf Anhieb die Übungen nicht gelingen, verzagen Sie nicht. Sie stellen hohe Anforderungen an das Muskelgefühl. Auch wenn Sie innerhalb der beanspruchten Muskelkette irgendwo ein schwaches Glied haben, kann der Aufbau der Stabilität schwerfallen. Eine Kette ist nun einmal so stark wie das schwächste Glied. Das gilt auch für die Muskulatur.

Die Übungen verlangen Konzentration auf die Muskelaktion und eine gewisse «Bissigkeit» bei der Durchführung. Lassen Sie nicht gleich beim erstenmal den inneren Schweinehund siegen.

DIE KLEINE BRÜCKE

In der Rückenlage Beine anwinkeln und hüftbreit aufstellen. Arme gewinkelt neben den Körper legen und auf den Boden drücken. Aus dieser Ausgangsstellung das Gesäß soweit anheben, bis eine gerade Linie «Knie – Schultern» entsteht.

DIE KLEINE BRÜCKE EINBEINIG

Gleiche Ausführung wie bei der vorigen Übung. Zusätzlich wird nun ein Bein abgehoben und ausgestreckt.

Aufgepaßt: Nicht die Körperseite des angehobenen Beins absinken lassen. Die Beckenquerachse bleibt parallel zum Boden.

DER ELLBOGENLIEGESTÜTZ

Auf die Unterarme stützen und Schulterblätter in Richtung der Wirbelsäule zusammenziehen. Können Sie sie nicht am Rumpf fixieren, verzichten Sie lieber auf die Übung. Den gesamten Körper wie «ein Brett» spannen.

■ *Wichtig:*
Nicht den Kopf in den Nacken nehmen. Auf den Boden schauen.

DER ELLBOGENLIEGESTÜTZ EINBEINIG

Auf die Unterarme stützen. Die Schulterblätter zur Wirbelsäule hin zusammenziehen. Beine stützen auf den Fußspitzen. Ein Bein nur wenig vom Boden anheben und den Körper in dieser Position stabilisieren. Becken bleibt parallel zum Boden.

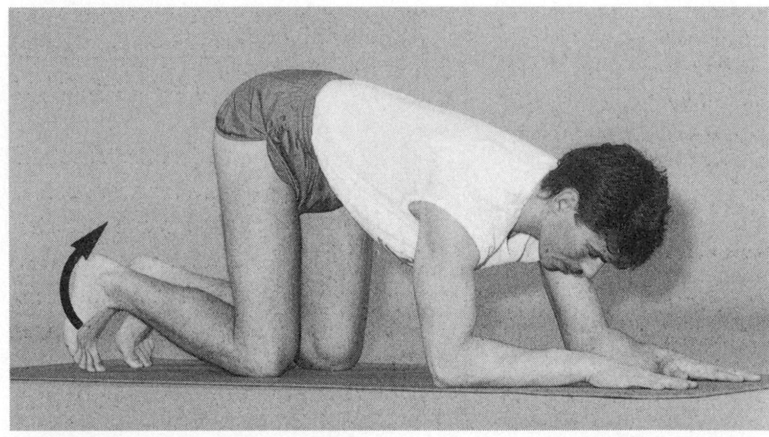

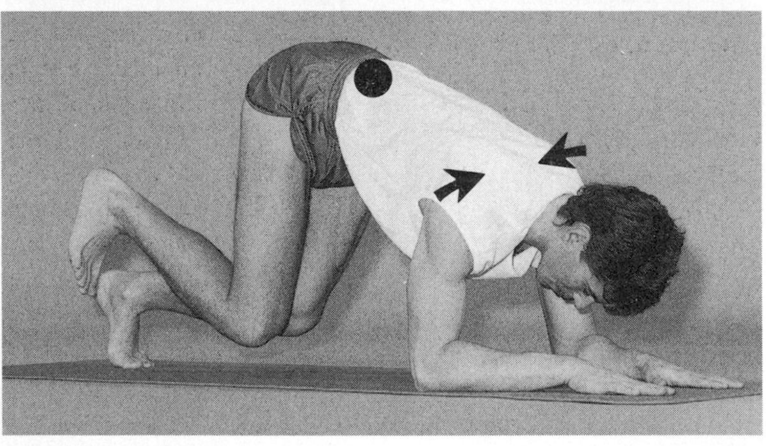

DER SEITLIEGESTÜTZ

Auf den Unterarm abstützen. Das obere Bein hinter dem vorderen abstützen. Körper wiederum bis zu einer geraden Linie anheben.

DER SEITLIEGESTÜTZ EINBEINIG

Das obere Bein anheben und den Körper stabilisieren

All diese Übungen sind zunächst für Sie womöglich sehr ungewöhnlich. Sie stellen komplexe Beanspruchungsformen dar, die nur dann gelingen, wenn Sie den Körper vom «Scheitel bis zur Sohle» stabilisieren können. Versuchen Sie die Übungen regelmäßig in Ihr Fitneßprogramm einzubauen. Sie können wesentlich zu einer verbesserten Körperhaltung und einem gesteigerten Selbstwertgefühl beitragen. Die Wirbelsäule kann auch Ausdruck unseres Seelenlebens sein: Die Eigenarten eines Menschen, seine Probleme, sein Streß reagieren sich oft über die Muskeln der Wirbelsäule ab. Ein Mensch mit Rückgrat, von Gram gebeugt ... Auch die Lasten des Alltags tragen wir mit unserer Wirbelsäule. Trainieren wir sie nicht regelmäßig, gibt es mit ihr genausoviel Probleme, als wenn wir ihr zu viel zumuten.

DIE BESTE MEDIZIN GEGEN DEN ÄRGER MIT DEM KREUZ

AUSGLEICHE SCHAFFEN

Alle einseitigen Belastungen im Beruf und auch im Sport schaden der Wirbelsäule. Wer einen lieben langen Arbeitstag sitzen muß – an der Schreibmaschine, am Bildschirm, hinter dem Steuer –, wer täglich joggt oder Tennis spielt und sonst nichts sportlich tut, sollte sich um eine allseitig kräftige Rumpfmuskulatur kümmern. Ein trainiertes Muskelkorsett ist der beste Schutz gegen Probleme mit dem Rückgrat.

Wer viel sitzt, sollte jede Gelegenheit zur Bewegung nutzen. Statt den Fahrstuhl zu benutzen, steigen Sie die Treppen hinauf und hinunter. Parken Sie nicht gleich vor der Haustür, sondern weiter entfernt und laufen Sie ein paar Schritte auch dann, wenn Sie sich einbilden, gar keine Zeit zu haben. Ein paar Minuten für die Gesundheit sollte jeder übrig haben.

AKTIV SITZEN

Die beste Möglichkeit zur Verminderung der Fehlbeanspruchung der Wirbelsäule beim Sitzen ist **aktives Sitzen.** Auch wenn es die Hersteller ergonomischer Bürostühle nicht wahrhaben wollen, passive Rükkenstützen verfehlen ihr Ziel gründlich, wenn sie auch nur **passiv** genutzt werden.

Rückenlehnen sollte man nicht zum Anlehnen benutzen. Sie sind aktive Sitzhilfen, die eine angemessene Entlastung der Wirbelsäule bewirken.

FEHLBEANSPRUCHUNGEN VERMEIDEN

Falsche, rückenbelastende Bewegungen im Alltag, beim Beruf und beim Sport vermeiden:

- Heben schwerer Lasten nicht aus dem Kreuz, sondern aus den Beinen.

- Beim einseitigen Tragen von schweren Taschen, Gepäckstücken o. ä. auf eine gleichmäßige Verteilung achten. Lieber zwei kleine Koffer in jeder Hand als einen großen schweren.
- Immer wiederkehrende, gleichförmige Belastungen der Wirbelsäule beim Sport vermeiden. Sind sie unvermeidbar und gehören sie zum Sport dazu, wie z.B. die schlagarmseitigen Belastungen bei den Rückschlagspielen (Tennis, Tischtennis, Badminton und

Squash), sorgen Sie für ein angemessenes Ausgleichstraining in Form einer «pflegenden Wirbelsäulengymnastik» mit kräftigenden, dehnenden und entspannenden Übungen (hierzu das Buch Tennis-Funktionsgymnastik, rosport Bd. 8621)!

- Machen Sie einen großen Bogen um Trainingsgeräte und Übungen, die als «Wirbelsäulenkiller» gelten. Wir haben Ihnen einige gezeigt (S. 33, 34, 54).

KÖRPERGEWICHT REGULIEREN

Stolz auf seinen Bauch in einer fitneß- und leistungsorientierten Gesellschaft ist niemand. Die zuviel davon haben, sollten sich einmal klarmachen, wieviel Kilogramm sie mit dem Kreuz vor sich hertragen. Die Konsequenz: Abspecken und stets das Körpergewicht kontrollieren. So manches «kecke Bäuchelchen» hat aber nichts mit dem Körpergewicht zu tun. Es ist nur Ausdruck einer schlechten Körperhaltung: Schwache Bauchmuskeln und verkürzte, nicht ausreichend dehnfähige Hüftbeugemuskeln und daran angepaßte, verspannte Rückenmuskeln lassen den Bauch unliebsam hervortreten. Was man dagegen tun kann, zeigen die Übungen zum Bauchmuskeltraining (S. 24–32).

ENTSPANNUNG SUCHEN

Haben Sie sich wirklich einmal zuviel zugemutet, fühlen sich so richtig «kreuzlahm» und haben überhaupt keine Lust mehr auf ein aktives, ausgleichendes Körpertraining, suchen Sie Entspannung durch rükkenentlastendes Liegen. Sie sorgen dadurch für eine verbesserte Durchflutung der Bandscheiben mit Nährstoffen. Das Bandscheibengewebe kann mehr Wasser aufnehmen und bleibt länger elastisch.

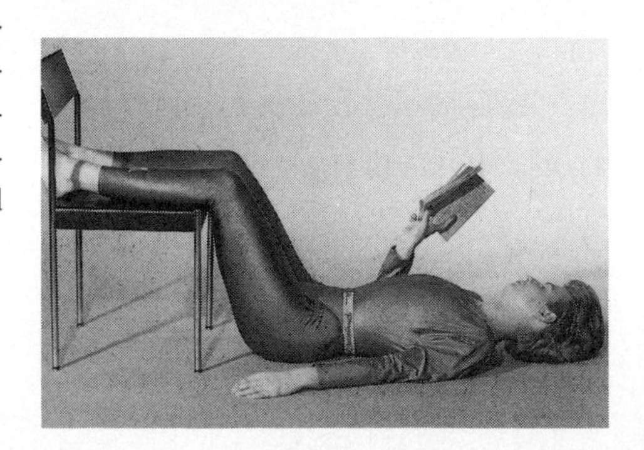

DAS MACHT SCHULTERGÜRTEL UND ARME FIT

Wer kennt sie nicht: Die Liegestütze, mit denen sich schnell Arm- und Schultermuskeln in Form bringen lassen. Doch diese Allerweltsübung will richtig beherrscht sein, wenn sie Wirkung zeigen, Gelenke und Wirbelsäule aber nicht falsch belasten soll. Beginnen Sie ihr Armkrafttraining stets mit den einfacheren Ausführungen des Liegestützes, bevor Sie zu den anspruchsvolleren Formen kommen.

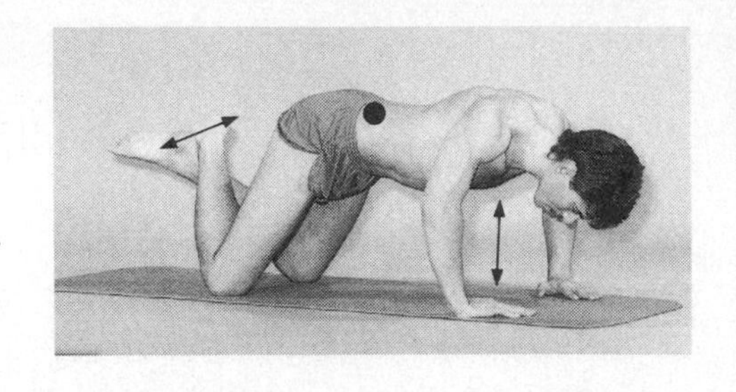

Diese Übung ist besonders schonend für Wirbelsäule und Schultergürtel.
Die Füße übereinanderschlagen und versuchen, sie wieder auseinanderzudrücken. Dadurch wird eine Spannung in der Beinmuskulatur aufgebaut, die es ermöglicht, die Lendenwirbelsäule beim Beugen der Arme zu entlasten. Die Handgelenke stützen schonender, wenn Sie die Fingerspitzen leicht nach innen nehmen.

■ *Besonders wichtig:*
Schulterblätter zunächst zusammenziehen, bevor Sie die Arme beugen. Ellbogen in der höchsten Stützposition nicht vollständig durchdrücken. Das beansprucht die Armmuskeln intensiver. Schultern stets senkrecht über der Stützfläche halten. Diese spezielle Ausführung erlaubt es, das Körpergewicht zentimeterweise so auf die Arme zu verteilen, daß die Übung selbst Armschwachen noch gelingt.

Variation:
Fingerspitzen eng zusammennehmen. Das kräftigt den Ellenbogenstrecker besonders intensiv.

DER DELTA-LIEGESTÜTZ

Der Delta-Liegestütz ist ein Armkrafttraining für Könner. Sie müssen schon über eine ganze Portion Kraft im Schultergürtel und den Armen verfügen, wenn Sie diese Übung korrekt ausführen wollen.

Knicken Sie den Körper in der Hüfte leicht ein. Beim Senken des Oberkörpers die «Bogenspannung» halten. Auf diese Weise läßt sich eine ungünstige Belastung der Lendenwirbelsäule beim Liegestütz unter erschwerten Bedingungen vermeiden. Außerdem sind bei dieser Ausführung der Delta- und Kapuzenmuskel stärker angesprochen.

Den klassischen Liegestütz sollten Sie nur anwenden, wenn Sie über genügend Rumpfkraft verfügen, die den Körper während des Übens gerade hält. Auch hier gilt: Hände mit den Fingerspitzen nach innen gedreht aufstützen, beim Heben des Oberkörpers Ellbogen nicht vollständig strecken und während des Beugens und Streckens die Schulterblätter zusammenziehen.

So ist der Liegestütz falsch:
Die Hände sind falsch aufgestützt und dadurch die Gelenkflächen der Handwurzelknochen stark belastet. Das Kreuz hängt durch, was den Bandscheiben und den kleinen, empfindlichen Wirbelgelenken gar nicht guttut. Die Schulterblätter gleiten vom Rumpf ab, wodurch die schulterblattanlegende Muskulatur geschwächt wird. All diese Fehler können sich beim Trainieren auch allmählich einschleichen, wenn Sie z.B. die Kraft nach einigen Wiederholungen der Übung verläßt. Dann sollten Sie lieber aufhören. Weniger Wiederholungen oder andere Trainingsübungen, die Ihrem augenblicklichen Kraftniveau besser entsprechen, schaffen Abhilfe.

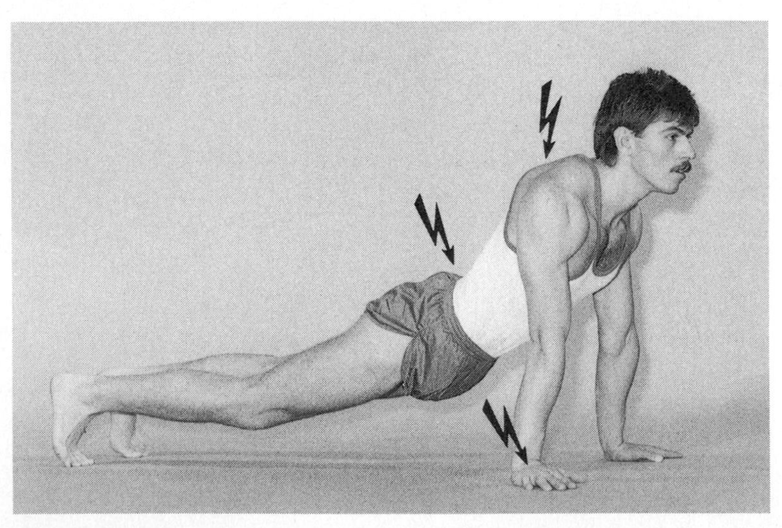

Am Beispiel des Liegestütz sehen Sie, daß es sehr wohl gelingt, selbst «Allerweltsübungen» für den Bewegungsapparat verträglicher zu machen, wenn man die Signale des Körpers ernst nimmt. Besonders im Sport mit Kindern wird der große «Liegestütz» gern zur Kräftigung der Arme und des Schultergürtels hergenommen.

Das noch weiche, heranwachsende Knochengerüst des Kindes braucht aber im Sport Trainingsreize, die die Entwicklung ohne Überbeanspruchung der Gelenke, Sehnen und Bänder fördern.

Die entschärften Formen des Liegestütz sind keineswegs zur Kraftentwicklung weniger wirksam. Genau das Gegenteil ist der Fall. Durch die sehr spezielle Ausführungsweise, durch die Konzentration auf die Fixierung der Schulterblätter am Rumpf sowie auf die Stabilität des Beckens und der Lendenwirbelsäule wird ein besseres Körper- und Muskelgefühl vermittelt. Ein überaus wichtiger Gesichtspunkt, wenn man nicht nur Armkraft «klotzen», sondern auch dem Haltungsverfall von Brustwirbelsäule und Schultergürtel entgegenwirken will.

Unverständlicherweise wird der Knieliegestütz häufig auch als Ladyliegestütz bezeichnet, weil er für Frauen wegen ihrer geringeren Armkraft leichter durchführbar sei. Richtig ausgeführt ist er für beide Geschlechter und alle Alters- und Könnensstufen gut geeignet, denn wieviel Sie sich anstrengen, ist vom Abstand der stützenden Hände und der Knie abhängig. Je größer die Entfernung, desto mehr müssen Sie die Kraft der Arme einsetzen. Diese alternativen Liegestütze erlauben sowohl «Armschwachen» als auch den Starken, sich individuell auszubelasten.

DER DIP

Der Dip kräftigt nicht nur die Oberarmmuskeln, sondern auch Muskeln der Schulterrückseite wie z.B. den Kapuzen-, den Delta- und den breiten Rückenmuskel.

Die einfachste Ausführung: Im Stand Hände auf einen Turnkasten, Tisch o.ä. aufstützen. Arme strecken und beugen. Für den Dip können Sie auch einen standfesten Stuhl, Hocker, Kasten oder eine Gewichtheberbank benutzen. Um die Handgelenke nicht unnötig zu belasten, stützen Sie sich mit der Faust auf weicher Unterlage ab.

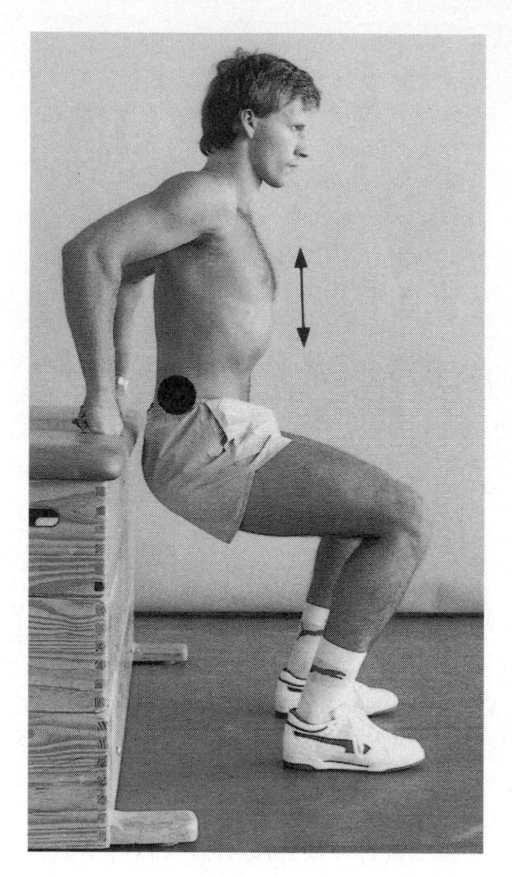

■ *Wichtig:*
Schulterblätter zusammenziehen, Oberkörper senkrecht halten, nicht zu tief absenken. Wenn Sie die Beine ausstrecken, wird die Übung noch anstrengender.

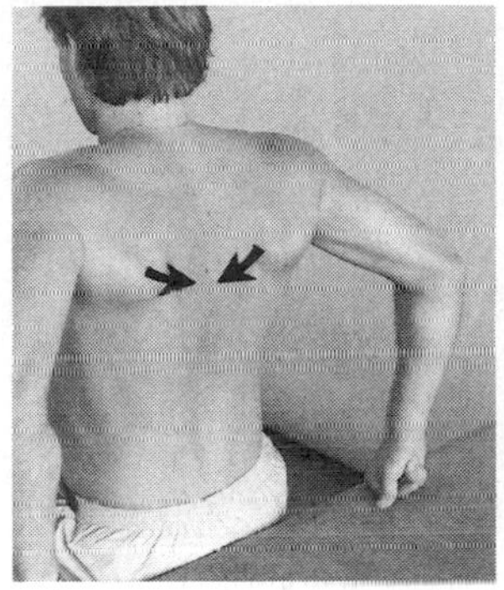

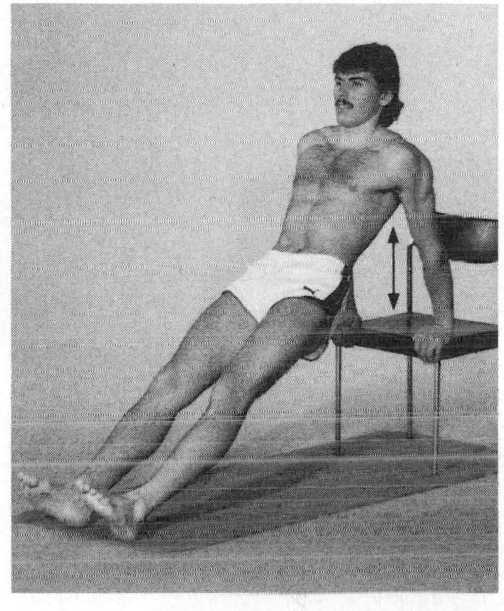

All diese Armkraftübungen beanspruchen vorwiegend die Ellbogen-Streckmuskeln sowie Muskeln, die den Schultergürtel stabilisieren. Um den Bizeps, den Ellbogenbeuger, wirkungsvoll zu trainieren, benötigen Sie Hilfsmittel. Ein sehr nützliches und vielseitig verwendbares Hilfsmittel für das Beugertraining ist das *HERMANSSON-Band.* Mit ihm lassen sich ohne großen Aufwand eine ganze Menge wirkungsvoll kräftigende Übungen für Arme und Schultergürtel durchführen.

DIE BIZEPS-CURLS

Das Gummiband der individuellen Kraft entsprechend leicht vorspannen. Ellbogen in die Seiten stützen, Schulterblätter zusammenziehen, dann das Gummiband auseinanderziehen.

Variation:
Curls im Sitzen. Das Band bei überstrecktem Handgelenk vorspannen. Ausführung wie auf Foto S. 72, jedoch zusätzlich noch das Handgelenk gegen den Widerstand des Gummibandes beugen. Das kräftigt die Unterarmmuskeln und stabilisiert das Handgelenk, was besonders nützlich für Sportarten ist, bei denen ein fester Griff verlangt wird, wie z.B. beim Surfen, Tennisspielen u.a.

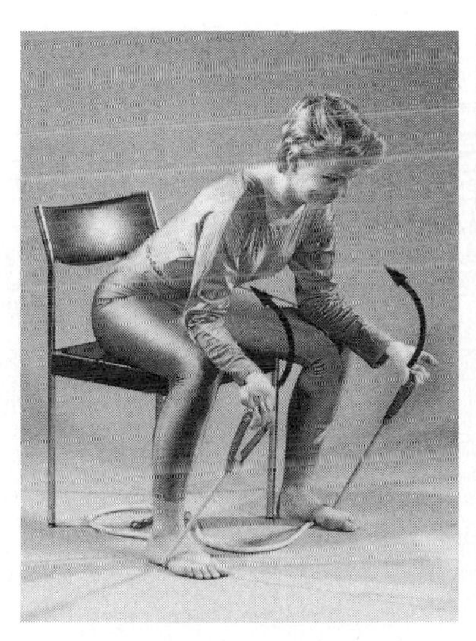

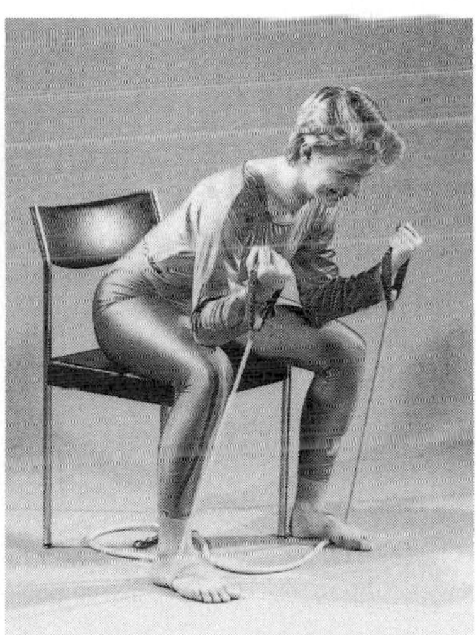

NIEMALS DIE SCHULTERGÜRTEL-RÜCKSEITE VERGESSEN

Es liegt in der Natur der Sache, daß die Muskeln der Rumpfvorderseite im Schulter- und Brustbereich als «Antriebsmuskulatur» der Arme bei Arbeit und Sport stärker gefordert werden als jene, die den Schultergürtel gewissermaßen im Schatten unseres Gesichtsfeldes auf der Rückseite stabilisieren. Einseitige Beanspruchungen im Beruf, z.B. Schreib- und Bildschirmarbeit, sitzende Tätigkeit am Fließband oder hinter dem Lenkrad des Autos und die Tatsache, daß viele der Muskeln im Nacken und Schulterbereich zur Verkürzung und Verspannung neigen, schaffen auf der Rumpfrückseite eine Problemzone, die das körperliche und geistige Wohlbefinden empfindlich stören kann. Manchmal wird das Problemfeld durch Sport noch verstärkt, dann nämlich, wenn die Brustmuskulatur intensiv beansprucht oder bewußt trainiert wird. Aus diesem Muskel-Ungleichgewicht zwischen stark entwickelten Brustmuskeln und schwachen Schulterblattmuskeln lassen sich eine Fülle von Beschwerden ableiten, an denen selbst Weltklasseathleten (Kanuten, Tennis- und Volleyballspieler, Athleten der Wurfdisziplinen in der Leichtathletik und Gewichtheber) leiden.

Schuld daran ist ein «ungleicher Zug» der Muskeln auf Hals- und Brustwirbelsäule. Bohrende Kopfschmerzen, Unkonzentriertheit bis hin zur Beeinflussung der Funktion innerer Organe können mit derartigen Funktionsstörungen im Nacken- und Schultergürtelbereich einhergehen. Bei Spitzensportlern konnten sogar Einbußen der Ausdauerleistungsfähigkeit durch eine behinderte Atemtätigkeit beobachtet werden.

Vielfach werden die Beschwerdebilder dem rheumatischen Formenkreis zugeordnet (Weichteilrheumatismus, degenerativer Rheumatismus etc.). Diese Annahmen können jedoch einer kritischen Betrachtungsweise nicht immer standhalten. Es zeigt sich vielmehr, daß die aufgezeigten Beschwerdebilder durch die Fähigkeit des Organismus, reflektorisch über das Nervensystem auf bestimmte Zustände der Muskulatur mit Hemmung bzw. Behinderung der Aktivität der Muskel-Gelenk-Einheit zu reagieren, ausgelöst werden. Die Folge: Bestimmte Bewegungsabläufe oder gar nur das Aufrechterhalten der

Körperhaltung werden als schmerzhaft empfunden. Ungleichmäßig und einseitig trainierte Muskulatur gefährdet nicht nur ein harmonisches Zusammenspiel aller aktiven und passiven Strukturelemente des Bewegungsapparats, sondern setzt in nicht unerheblichem Maße auch die Belastungsverträglichkeit des Körpers bei sportlicher Betätigung herab.

Tun Sie etwas dagegen, und vermeiden Sie, daß die vordere Schultergürtel- und Brustmuskulatur zu stark wird. Trainieren Sie auch jene Muskeln auf der Rückseite, die Schultergürtel- und Schulterblatt stabilisieren. Sie schlagen dadurch vielleicht nicht nur eine bessere Rückhand beim Tennis, sondern beugen Haltungsverfall und Funktionsverlusten der Hals- und Brustwirbelsäule vor.

DAS FESTIGT DEN SCHULTERGÜRTEL

Zunächst einige einfache Übungen, damit Sie überhaupt ein Gefühl für die Schulterblattmuskeln bekommen, die sich durch ihre Lage auf der Rumpfrückseite unserem Gesichtskreis entziehen und die man infolgedessen so schlecht kontrollieren kann.

DIE ARM-LIFTS

Der Oberkörper liegt auf einem Kasten (Bank, schmaler Tisch o.ä.). Die Arme hängen über der Kante. Schulterblätter Richtung Wirbelsäule zusammen und nach unten (Richtung Gesäß) ziehen. Dabei Arme und Daumen nach außen drehen in einer gleichmäßig schraubenden Bewegung.

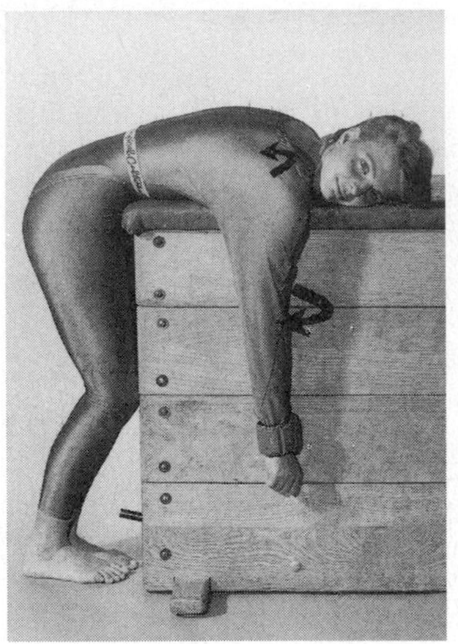

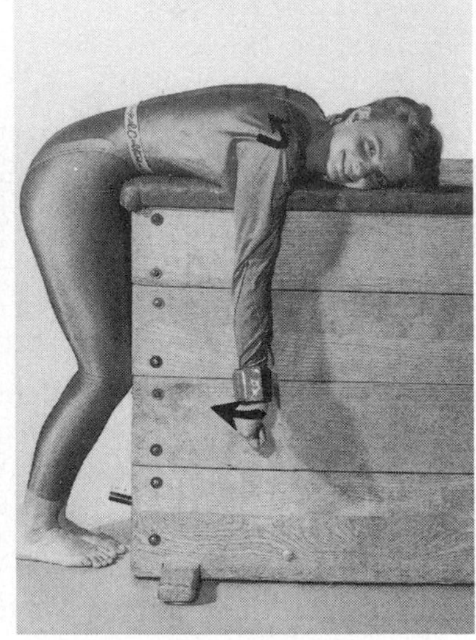

In der gleichen Körperposition die Schulterblätter zunächst wieder zusammenziehen und stabilisieren (Fotos oben), dann den gestreckten Arm anheben. Daumen zeigt dabei zur Decke.

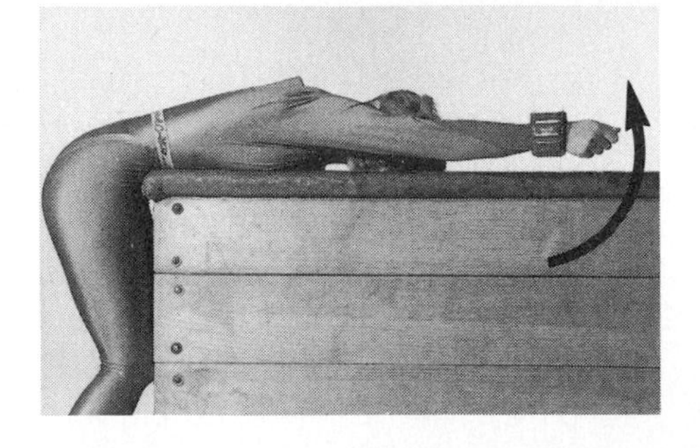

Den Arm sinken lassen und in dieser mittleren Position mit 90 Grad gebeugten Ellbogen anheben, dann Ellbogen vollständig strecken und dabei die Daumen nach oben drehen.

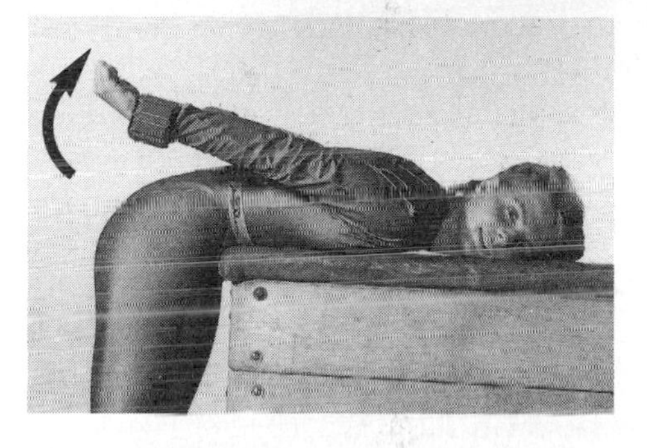

Die Arme wieder sinken lassen und aus der Ausgangsposition gestreckt nach hinten oben anheben, wobei auch die Daumen nach außen gedreht werden können und am Ende der Bewegung zur Decke zeigen sollen.

Die Trainingswirkung wird verstärkt, wenn Sie leichte Handgewichte einsetzen (1–2 kg). Besonders das Anheben nach vorn wird Ihnen mit Hanteln schwerfallen. Versuchen Sie dennoch mit den Armen etwa die Waagerechte zu erreichen.

■ *Wichtig:*
Immer zuerst die Schulterblätter zusammenziehen, bevor Sie die Arme bewegen. Den Kopf nicht in den Nacken nehmen. Notfalls ein Handtuch unter die Stirn legen. Alle drei Positionen nacheinander mit ruhiger, gleichmäßiger Bewegung durchlaufen: vorn – Mitte – hinten und wieder vorn beginnen. Ruhig atmen, beim Heben und Stabilisieren der Arme in den einzelnen Phasen nicht die Atemluft anhalten.

SCHULTERTRAINING MIT DEM GUMMIBAND

Ein einfaches, aber sehr nützliches Hilfsmittel für die Kräftigung der Schulterblattmuskeln ist das Gummiband. Die gleichen Zugübungen können aber auch an Zugapparaten, wie sie in Krafträumen und Fitneßstudios vorhanden sind, ausgeführt werden. Aber vorsichtig: Muten Sie sich an solchen Maschinen nicht zuviel Gewichtsbelastung zu. Die Erfahrung zeigt nämlich, daß die Schulterblattmuskeln (Zwischen- und Unterschulterblatt- sowie Rauten- und Kapuzenmuskeln) bei vielen Sporttreibenden als äußerst schwach konditioniert auffallen, wenn sie isoliert beansprucht werden. «Bäume ausreißen» können Sie mit diesen Muskeln am Anfang wahrhaftig nicht, obwohl sie eigentlich von der Funktion her dafür besonders geeignet sind. Auch hier liegt die Trainingswirkung nicht darin, wieviel Gewicht Sie bewegen, sondern wiederum, wie präzise die Übungen ausgeführt werden.

DIE BUTTERFLYS-RÜCKWÄRTS

Befestigen Sie das Gummiband. Stellen Sie sich in Schrittstellung so weit vom Befestigungspunkt entfernt auf, daß das Band leicht vorgespannt ist. Ziehen Sie als erstes die Schulterblätter in Richtung Wirbelsäule zusammen, bevor Sie die Arme mit den Ellbogen voraus nach hinten führen.

■ *Wichtig:*
Spannen Sie Bauch, Rücken-, Po- und Beinmuskeln an. «Rammen» Sie sich regelrecht auf dem Boden fest. Überwinden Sie den Widerstand des Gummibands nur mit der Kraft Ihrer Arm- und Schultermuskeln, nicht mit dem Gewicht Ihres Körpers.

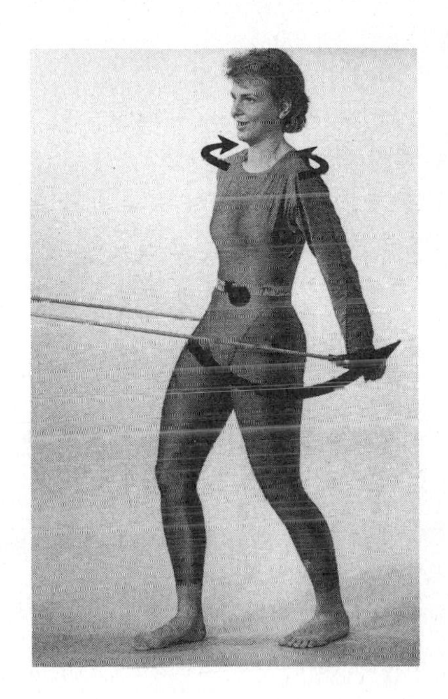

BUTTERFLYS-VORWÄRTS

Stellen Sie sich anders herum in das Band und ziehen Sie die Arme vor den Körper zusammen. Wenn Sie die Übung richtig ausführen, wird die Brustmuskulatur damit gekräftigt.

■ *Wichtig:*
Nicht mit dem Körper gegen den Widerstand des Gummibandes lehnen. Den Körper aktiv stabilisieren.

Variationen:
Befestigen Sie das Band üb
Kopfhöhe, und ziehen Sie e
nach unten hinten.

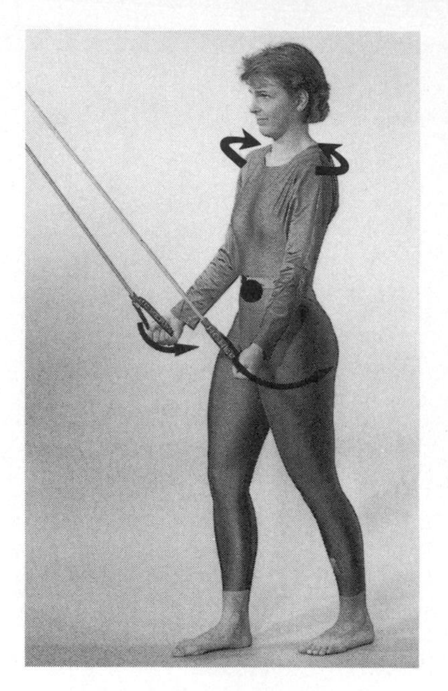

Im Sitzen ziehen Sie dagegen in Schulterhöhe, dabei kräftig die Schulterblätter zusammenführen. Wenn Sie diese verschiedenen Ausführungen trainieren, kräftigen Sie jeweils unterschiedliche Muskeln. Diese drei Bewegungsrichtungen sollten Sie auf jeden Fall einhalten.

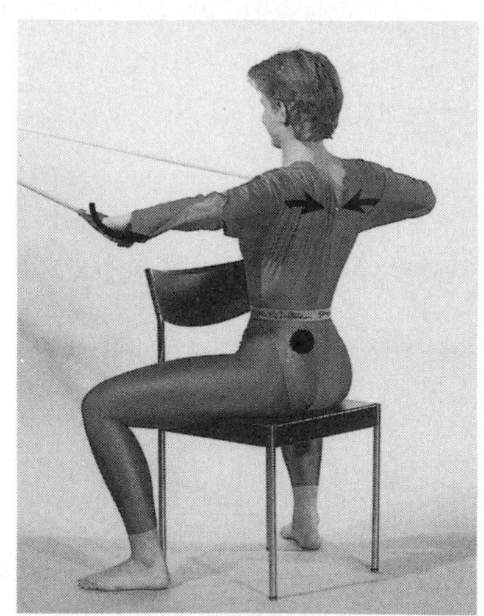

DIE DELTA-ÜBUNG

Spannen Sie das Band angemessen straff vor. Heben Sie jetzt beide Arme gestreckt an, mindestens bis 45 Grad. Das festigt die Schultermuskeln, die das Oberarmgelenk stabilisieren. Auch bei dieser Übung ist ein «aktiver» Stand wichtig: Beugen Sie deswegen die Knie leicht und spannen Bauch- und Gesäßmuskeln an. Nicht mit durchgedrückten Knie und schlaffem Bauch aufstellen.

VERSPANNTER NACKEN – VERSPANNTE SCHULTERN

Nacken und Schultergürtel sind echte Problemzonen. Die komplizierte, aber geniale Aufhängung des Schultergürtels am Rumpf trägt nicht unerheblich dazu bei, daß ein vernünftiges Training dieser Körperregion nicht gerade einfach ist. Erschwerend kommt hinzu, daß zahlreiche Schultermuskeln zu Verspannungen und Verkürzungen neigen. Sind erst einmal solche knötchenartigen Verspannungen (Myogelosen; Muskelhartspann) in diesem Bereich entstanden, ist man häufig auf die pflegenden Hände des Masseurs angewiesen (hierzu: SCHWOPE, F.: Sportmassage, rosport 8625). Viele Kreuzungspunkte von Nervenbahnen liegen im Schulterblattbereich, die sich bei verspannter Muskulatur besonders schmerzhaft melden. Solche Nervenzentren werden z.B. auch bei der Akupressur angesteuert.

Doch was kann man ohne die Hilfe anderer tun, damit keine Beschwerden von einer verkürzten Nacken- und Schultergürtelmuskulatur ausgehen?

REGEL 1

Ungleichgewichte in den Kraftfähigkeiten zwischen den Muskeln der Rumpfvorderseite im Schulter- und Brustbereich, vor allem der Brustmuskulatur, die beim Sport stark beansprucht und beim Fitneßtraining so gern favorisiert wird, vermeiden.

REGEL 2

Nach und auch schon während des Trainings die Muskeln, die bekanntermaßen leicht zur Verspannung neigen, sorgfältig dehnen. Stretching-Techniken sind in diesem Fall anderen Übungen überlegen.

STRETCHING FÜR SCHULTERN UND NACKEN

In der Neutralstellung legen Sie die Hände tief in den Nacken (nicht an den Hinterkopf). Mit beiden Händen den Kopf ganz behutsam nach vorn ziehen, bis Sie eine Dehnung der Nacken- und Schultermuskeln spüren.

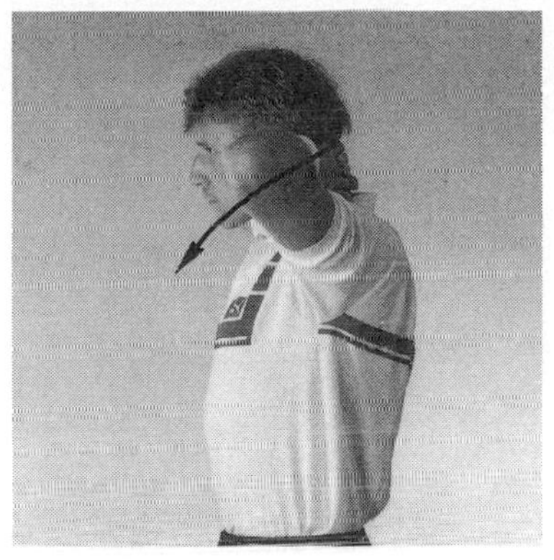

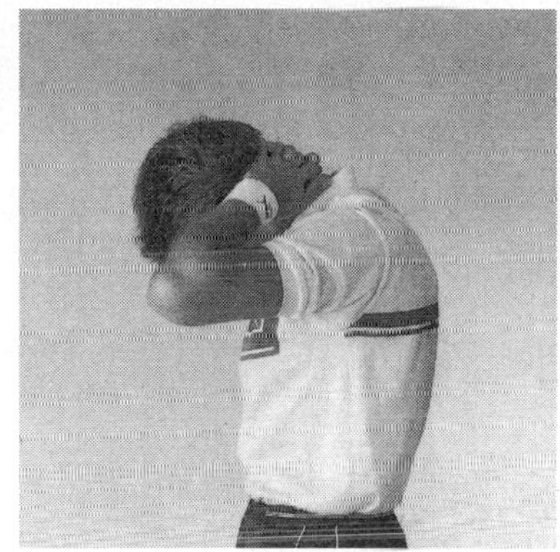

Variation:

In der Neutralstellung den Hals in die Hände hinein strecken wollen. Die Nackenmuskeln auf diese Weise isometrisch anspannen. Die Spannung ca. 10 Sekunden aufrechterhalten, Spannung lösen und sofort sanft den Kopf nach unten ziehen. Diese Methode des Stretchings heißt Anspannungs-Entspannungs-Dehnen (postisometrische Relaxation) und gilt als wirksames Verfahren, verkrampfte Muskeln zu lösen.

Neigen Sie den Kopf zur Seite. Verstärken Sie die Neigung durch den Zug der Hand. Wenn Sie mit dem Körper die Neigung nicht mitvollziehen und aufrecht stehenbleiben, spüren Sie leicht die Dehnung in der seitlichen Halsmuskulatur, die Sie verstärken, wenn Sie die Schulter und den Arm der Gegenseite nach unten strecken.

Variation:
Auch bei dieser Übung läßt sich das Anspannungs-Entspannungs-Dehnen erfolgreich einsetzen. So wird's gemacht: Den Kopf gegen den Widerstand der Hand strecken wollen, Spannung in der seitlichen Halsmuskulatur aufbauen, entspannen und dann dehnen.

Verschränken Sie die Hände, strecken Sie die Ellbogen, und schieben Sie die Schultern so weit es geht nach vorn, bis Sie eine intensive Dehnung in den rückseitigen Schultermuskeln verspüren.

Variation:
Wenn Sie vor der Dehnung die Muskeln wieder anspannen, erhöhen Sie die Entspannungswirkung. Finger verschränken und die Arme auseinanderziehen wollen. Die Zwischenschulterblatt-Muskeln spannen an. Danach die Finger verschränken und die Arme weit nach vorn unten strecken.

☛ *Der besondere Tip:*
Wenn Sie die Spannung bei dieser Stretchingtechnik in der Muskulatur aufbauen, vergessen Sie nicht, ruhig weiterzuatmen. Wenn die Methode Wirkung zeigen soll, dehnen Sie die Muskeln immer so lange, wie Sie sie angespannt haben.

Stretching ist Dehnen und Entspannen auf sanfte Art. Im Bereich von Nacken und Schultern macht es nicht nur beweglicher, sondern auch «freier» in der Atmung und im Kopf. Viele Nervenstränge des vegetativen Systems zur Kontrolle von Hirn-, Herz-Kreislauf- und Atemfunktion verlaufen in diesem Areal. Verspannte Muskeln hemmen ihre Funktion.

ENTSPANNUNG ZWISCHENDURCH

Weil wir bei der Arbeit oft eine schlechte Haltung einnehmen, die Arme lange Zeit in derselben Position halten, falsch auf dem Stuhl sitzen oder bei Arbeit und Sport immer wiederkehrend die gleichen Bewegungen machen, haben wir oft Probleme mit Nacken- und Schultermuskeln. Beschwerden in diesem Körperbereich machen uns reizbar und wenig belastbar.

Tätigkeiten, bei denen es vor allem auf Genauigkeit ankommt, fördern die Verspannungsneigung der Nackenmuskeln. Schreibkräfte, besonders an Bildschirmen, Zahnärzte, auch Musiker kennen die Beschwerden gut. Sie sind die Folge von Funktionsstörungen in der Muskulatur der Rumpfrückseite. Die folgenden Übungen verschaffen Erleichterung mal zwischendurch, wenn Sie sich körperlich angespannt fühlen.

Füße leicht auseinanderstellen. Stützen Sie die Hände in die Seiten. Richten Sie den Oberkörper auf, wobei Sie das Kreuz und die Brustwirbelsäule aufrichten und tief dabei einatmen. Den Körper danach weit nach vorn beugen, bis Sie mit der Stirn zwischen die Knie reichen. Bewußt bei der Vorbeuge ausatmen. Danach wieder aufrichten und so lange tief einatmen, bis Sie die vollständige Aufrichtung der Wirbelsäule erreicht haben.

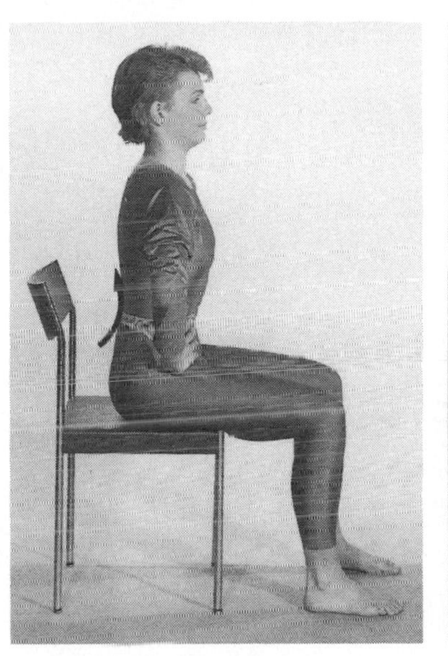

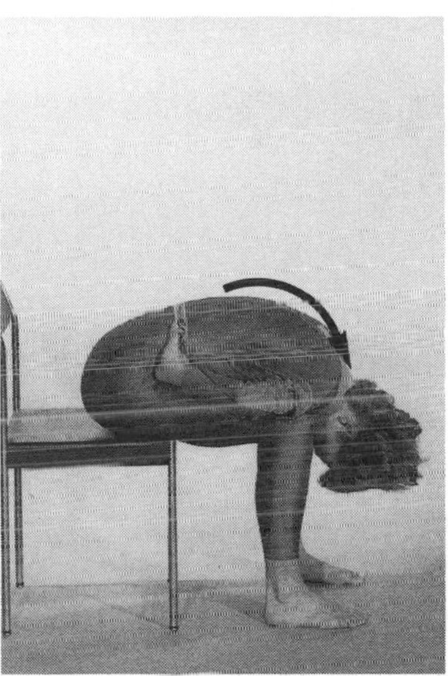

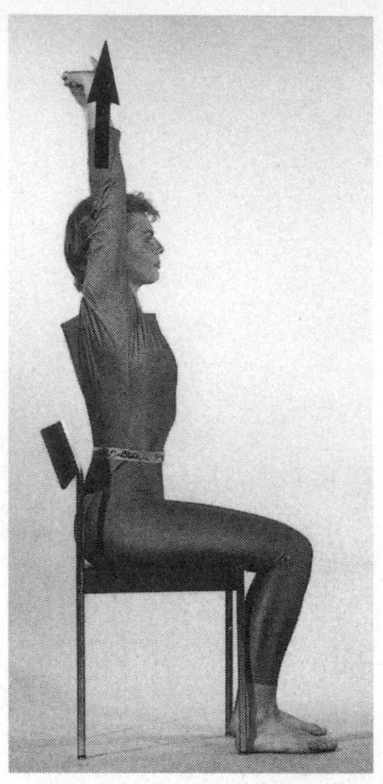

Das Ausatmen und das Strecken der Wirbelsäule können Sie verstärken, wenn Sie die Arme senkrecht nach oben recken.

Variation:

Hände auf dem Rücken verschränken. Strecken sie die Arme nach unten, ziehen Sie Schulterblätter zusammen, wenn Sie sich aufrichten.

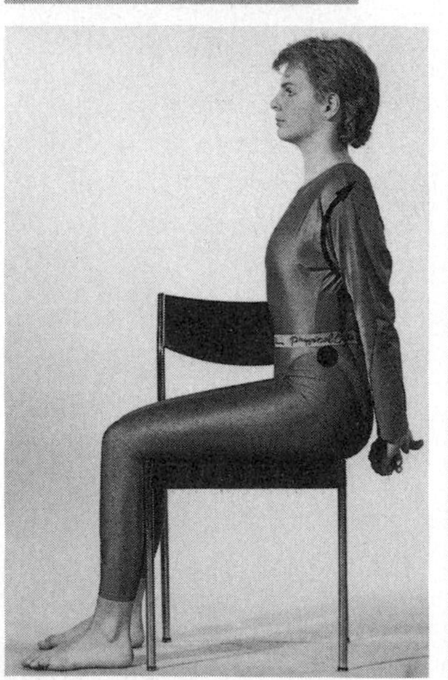

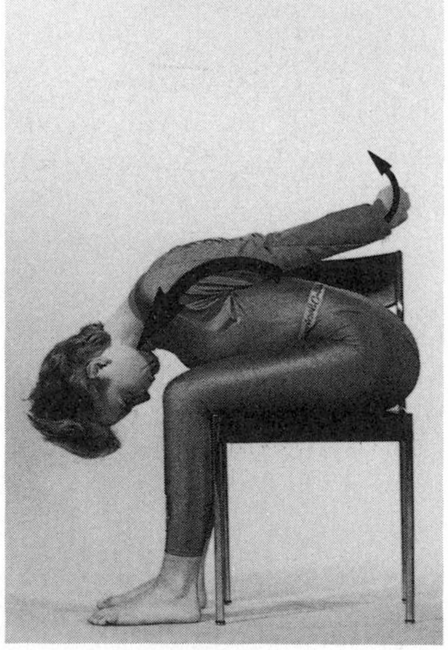

Arme seitlich locker hängenlassen. Richten Sie die Wirbelsäule «bis in die Haarspitzen» auf, indem Sie die Schulterblätter zusammenziehen und die Arme dabei nach außen drehen. Einatmen, wenn Sie sich aufrichten, und ausatmen, wenn Sie in die Neutralposition zurückkehren.

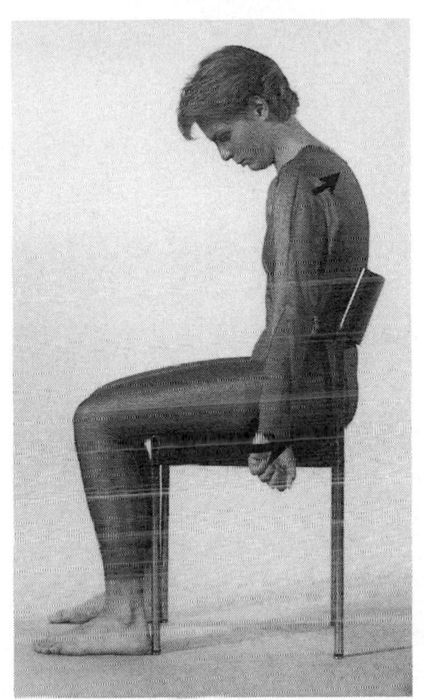

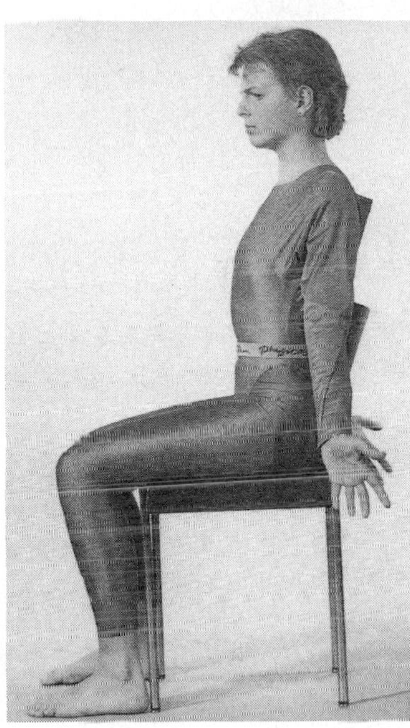

Halten Sie sich mit einer Hand am Stuhl fest. Drehen und neigen Sie den Kopf zur anderen Seite. Legen Sie eine Hand auf das Ohr. Verstärken Sie nun die seitliche Neigung des Kopfes durch sanftes Ziehen, bis Sie eine Dehnung in der seitlichen Halsmuskulatur spüren. Nicht mit dem Oberkörper in die Zugrichtung mitgehen. Aufrecht sitzenbleiben.

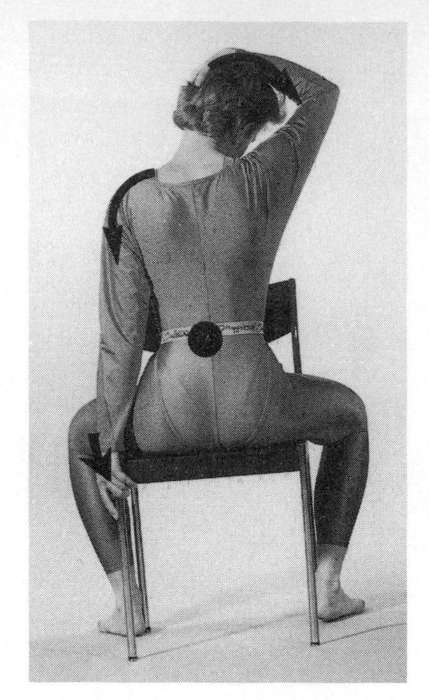

☛ *Ein besonderer Tip:*
Die Halsmuskeln vor der Dehnung isometrisch anspannen; d.h. gegen den Zug der Hand den Kopf in die Neutralposition strecken wollen. Mit der Hand am Stuhl zusätzlich aktiv nach unten ziehen. Das baut Spannung in der Halsmuskulatur auf. 8–10 Sekunden die Spannung aushalten, dann lösen und sogleich in die Dehnung übergehen. Genauso lange den Dehnreiz wirken lassen, wie die Anspannung dauerte.

Zur Entlastung der Lendenwirbelsäule stellen Sie sich vor den Stuhl. Hüftbreiter Stand. Hände tief im Nacken falten und Wirbelsäule in allen Teilen strecken. Ellenbogen nach hinten führen und den Oberkörper drehen. Achten Sie darauf, daß das Becken nicht mitdreht. Durch die Verwindung der Lendenwirbelsäule entspannen Sie die tiefen Rückenmuskeln. Nach jeder Seite mehrfach wiederholen.

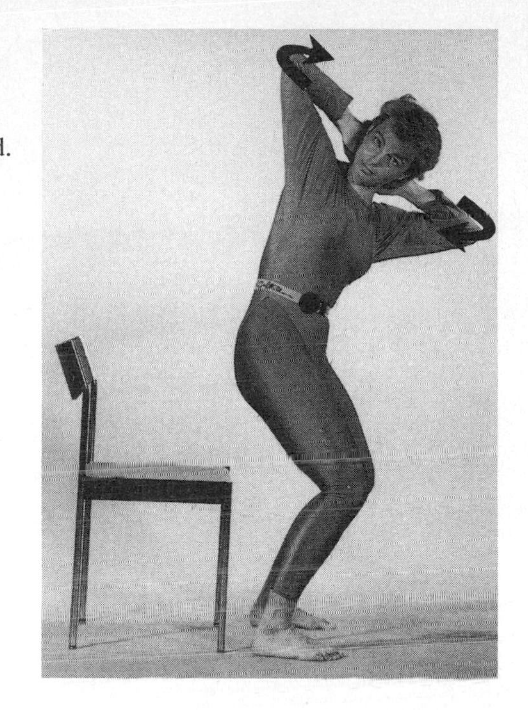

Alle Übungen entkrampfen und lockern nicht nur die durch langes Sitzen verspannten Muskeln, sondern tragen auch zur Verbesserung der Atmung und der Durchblutung von Nacken-, Schultern- und Rükkenmuskeln bei. Sie beeinflussen die Nervenleitungen und können dadurch Beschwerden wie Konzentrationsschwäche und Kopfschmerz günstig beeinflussen.Regelmäßig zwischendurch angewandt, steigern sie die Leistungsfähigkeit und das Wohlbefinden.

BEINTRAINING – OHNE BEWEGUNG LÄUFT NICHTS

Die größten und auch am häufigsten beanspruchten Muskeln beim Sport und Spiel sind die Muskelgruppen der Beine. Gehen, Stützen, Hüpfen, Laufen und Springen sind Grundtätigkeiten des Sports. Die Muskeln, die hierfür verantwortlich sind, bewegen rund 50 Prozent des gesamten Körpergewichts. Die Leistung, die sie bei Sporttreibenden vollbringen, sieht man ihnen deswegen auch an. Beim Fußballspielen wird der Quadrizeps (die Oberschenkelvorderseite) gewaltig ausgebildet, beim Jogging und beim Ballett dagegen die Waden, beim Sprinten, Springen und Radfahren die gesamte Beinstreckmuskulatur.

Wohlgeformte, schlanke Beine sind der Traum einer jeden Frau, und das nicht nur, seit sie Minis trägt. Doch leider hat die Natur es so eingerichtet, daß nicht nur große Beinmuskeln auf Oberschenkel und Hüfte lasten, sondern beim weiblichen Geschlecht auch sehr viel Unterhautfettgewebe. Beim Mann ist das anders: Er zeigt die barocken Formen mehr im Bereich der Taille. Die Natur kann man nicht ändern, doch eine ganze Menge dafür tun, daß sich Aussehen und Form der Beine verbessern durch Übungen, die nicht nur das Muskel-, sondern auch das Bindegewebe festigen.

Viel wichtiger als die ästhetische Komponente des Beintrainings ist aber der verletzungsvorbeugende Effekt der Übungen. Weil die Beine im Sport viel aushalten müssen, gehören Fußgelenk- und Kniegelenkverletzungen zu den unliebsamsten Begleiterscheinungen sportlicher Aktivität. Kniegelenkschäden und -verletzungen stehen in der Unfallstatistik der Sportarten leider ganz oben. Besonders verhängnisvoll sind Bänder- und Kapselrisse, die nicht selten so schwerwiegend sein können, daß die eigene bescheidene sportliche Karriere plötzlich und für immer abbricht.

Einen schlanken Po und feste Oberschenkel wünschen sich viele, doch viel wichtiger für die Gesunderhaltung ist eine rundum kräftige Beinmuskulatur, die in der Lage ist, Fuß-, Knie- und Hüftgelenke so zu stabilisieren, daß sie beim Sporttreiben keinen Schaden nehmen.

Deswegen zeigen wir Ihnen neben bekannten auch sehr spezielle Übungen, die Ihnen helfen, Muskeln zu trainieren, die beim Sport und in der Gymnastik weniger gezielt beansprucht werden.

Wichtig ist auch, daß Sie ein Beintraining betreiben, das die vielen Muskeln gemäß ihrer Funktion und ihrer Fasercharakteristik richtig belastet. Denn die Muskeln sind nicht alle gleich. Aufgrund ihrer biochemischen Zusammensetzung neigen einige Beinmuskeln stark zur Verkürzung, andere dagegen zur Abschwächung. Dies um so mehr, je stärker sie beim Sport einseitig gefordert werden.

Viele Muskelverletzungen der Beine lassen sich mit diesen typischen Neigungen der Muskulatur in Verbindung bringen: Die Verkürzungstendenz der Oberschenkelrückseite mit Muskelzerrungen und Rissen in diesem Bereich. So manche Achillessehnenprobleme beruhen auf dauerverkürzten Wadenmuskeln. Die Abschwächungsneigung der Gesäßmuskulatur in Verbindung mit verkürzten Hüftbeugern läßt das Becken kippen und kann Beschwerden der Lendenwirbelsäule verursachen.

Machen Sie doch mal einen Test, und prüfen Sie, wie verkürzt Ihre Beinmuskulatur auf der Oberschenkelrückseite ist:

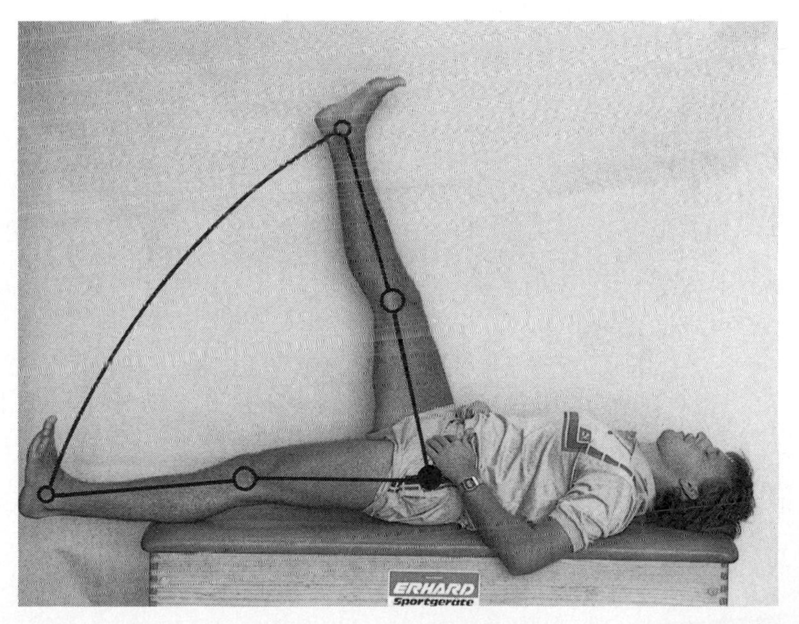

Legen Sie sich in die Rückenlage auf einen Tisch (Kasten o. ä.) und heben ein Bein völlig gestreckt an. Das andere Bein bleibt auf der Unterlage (Kniekehle auf die Unterlage drücken). Wenn Sie das Bein nicht bis in die Senkrechte bekommen, sind die Oberschenkelmuskeln der Beinrückseite verkürzt.

Beine brauchen deshalb nicht nur Bewegung, um fit zu bleiben, sondern auch eine spezielle «Pflege», die die Muskeln elastisch und kräftig macht. Nur so lassen sich auf Dauer Probleme mit dem «Fahrgestell» beim Sport vermeiden.

Wenn Sie keine Zeit oder auch keine Lust haben zu joggen und sich zur Gruppe der «Antiläufer(innen)» zählen, können Sie sich mit Konditionsformen ausdauernd fit halten, wie sie beim Aerobic üblich und beliebt sind. Vielfältige Anregungen, wie man sich zu Musik bewegen kann, finden sich im Band «Funktionsgymnastik» und in der Literatur zum Thema Fitneß im Anhang auf Seite 127. Auf weitere Erläuterungen verzichten wir deswegen in diesem Band.

Die Übungen, die wir Ihnen empfehlen, stärken mehr als nur Herz und Kreislauf. Sie kräftigen die Beinmuskeln und die im Sport so gestreßten Gelenke.

Kniehebeläufe auf weicher Unterlage, auf Weichbodenmatten, wie sie in den Turnhallen zu finden sind oder beispielsweise im Sand (am Strand, in Weitsprunggruben auf dem Sportplatz) sind besonders Herz-Kreislauf-beanspruchend. Gleichzeitig stellen sie hohe Anforderungen an die Fuß- und Beinmuskeln, die die Gelenke stabilisieren. Fangen Sie deswegen ganz behutsam mit «kleinen Strampelbewegungen» an. «Kneten» und «Stampfen» Sie die Unterlage zunächst nur mit den Füßen, bevor Sie die Knie hoch und die Beine vom Boden abheben. Das kräftigt die Muskeln der Fußgelenke und beugt dem Umknicken vor. Sind Sie häufiger schon mal umgeschlagen und haben gedehnte Fußbänder, sollten Sie Überanstrengungen bei diesen Übungen allerdings vermeiden.

Belastungsstufe 1: Walken und Kneten
Heben Sie die Fersen möglichst hoch vom Boden ab, ohne die Fußspitzen vom Boden zu lösen. Sanft die Fersen wieder auf den Boden setzen. Der Körper ist aufrecht, nicht zu den Füßen schauen.

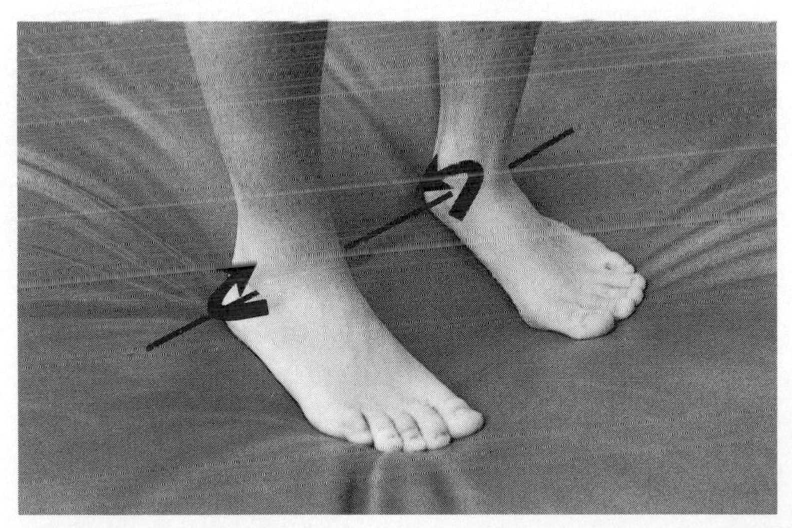

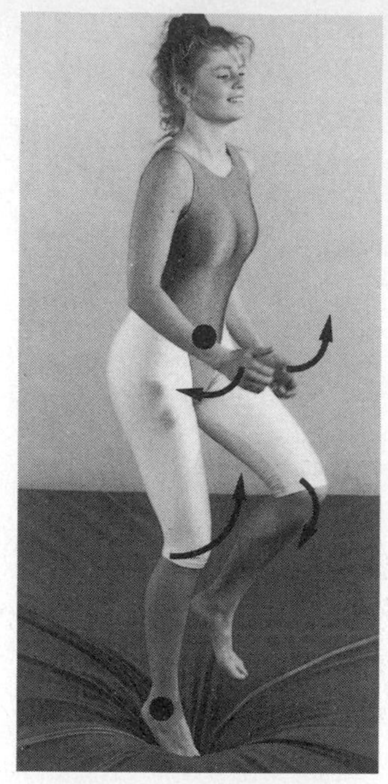

Belastungsstufe 2: Power Walking

Bauchmuskeln anspannen, Oberkörper aufrecht, die Schultern sind entspannt, die Arme schwingen im Wechsel locker mit: Knie im Wechsel nicht ganz bis zur Waagerechten heben. Auf dem Vorderfuß landen und den Fuß bis zur Ferse abrollen.

■ *Wichtig:*
Beim Heben der Knie nicht ins Hohlkreuz fallen.

Belastungsstufe 3: Skippings auf der Stelle

Schnelles wechselseitiges Anheben der Knie bis zur Waagerechten. Auf korrekte Körperhaltung achten. Belastungsangepaßte Atmung anstreben.

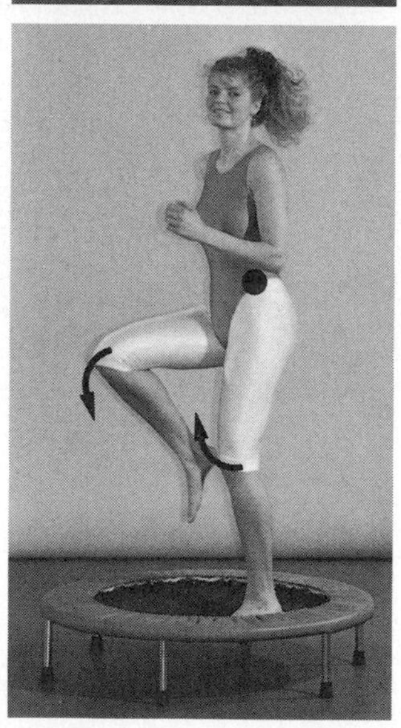

Dauer der Belastung:

Stufe 1	1–2 Minuten, mehrmals wiederholen
Stufe 2	1–3 Minuten mit Pausen oder länger, wenn Stufe 3 noch zu anstrengend ist. 2- bis 3mal wiederholen.
Stufe 3	20–30 Sekunden ohne Pause, bis zu 1 Minute oder länger steigerbar, wenn die Anstrengungsbereitschaft gegeben ist. 3- bis 5mal wiederholen.

REBOUNDING (MINITRAMPOLIN)

Skippings auf der Stelle machen besonders viel Spaß auf dem Rebounder (S. 100, 128). Dieses Minitrampolin federt sanft die Stöße in der Wirbelsäule ab, kräftigt die kleinen Fußmuskeln und intensiviert die Herz-Kreislaufbelastung.

SCHLITTSCHUHSCHRITTE

Seithüpfer wie beim Schlittschuhlaufen sind eine weitere Steigerung der Belastungsintensität. Versuchen Sie diese Übung erst auf normalem Boden, bevor Sie sich an die erschwerten Bedingungen des seitlichen Hüpfens auf dem Weichboden wagen.

■ *Wichtig:*
Nicht zu weit zur Seite springen. Kleine Hüpfer schonen mehr die Fußgelenke.

SCHRITTHÜPFEN

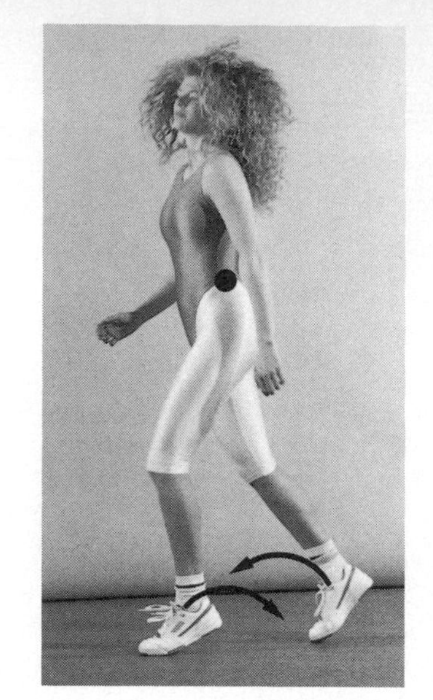

Wechselseitiges Schritthüpfen auf der Stelle mit intensiver Armbewegung verleiht nicht nur Ihren Beinen Spannkraft, sondern dient in erster Linie dazu, den Kreislauf in Schwung zu bringen.

STERNHÜPFEN

Beidbeiniges Sternhüpfen «vor–zurück, seitwärts rechts – seitwärts links» ist eine Sprungkombination, die Rhythmusgefühl verlangt und Herz und Kreislauf trainiert.

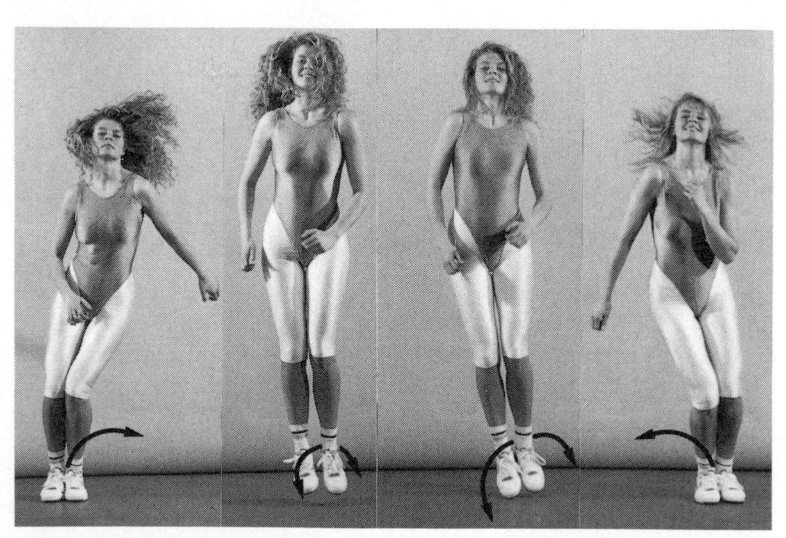

KOMBINATIONEN ERFINDEN

Richtig Spaß machen all diese Übungen, wenn Sie Kombinationen aus den verschiedenen Übungsangeboten erfinden und mit verschiedenen Armbewegungen verbinden. Wußten Sie eigentlich, daß die Armbewegungen in Verbindung mit den Laufformen auf der Stelle besonders viel Energie kosten? Der Kalorienverbrauch steigt beträchtlich an, wie neuere amerikanische Studien belegen, die den Energieverbrauch beim Aerobic gemessen haben.

BELASTUNGSKONTROLLE MIT COMPUTER

Wieviel Kalorien Sie verbraucht haben, kann man leider noch nicht selbst kontrollieren. Doch wie Sie Ihren Kreislauf in Schwung bringen und welche Belastung Sie erreichen, läßt sich mittlerweile mit Herzfrequenztestern messen.

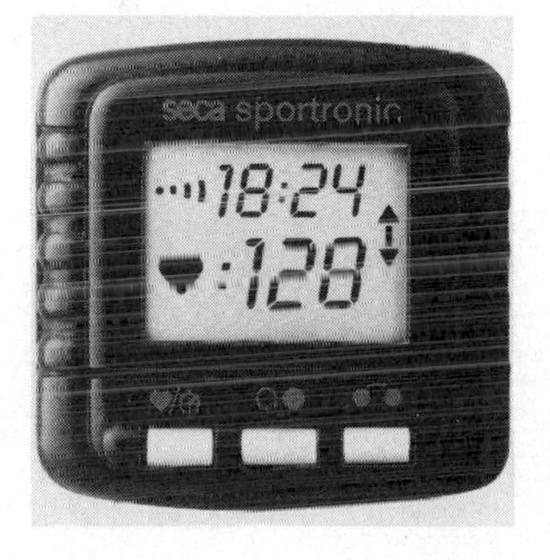

Die *seca sportronic*-Geräte von Uni Life (ab ca. 298 DM) sind die bewährtesten Trainingscomputer. Entwickelt für den Leistungssport und die sportmedizinische Diagnostik, findet er zunehmend Anwendung auch im privaten Fitneßtraining. Ein Brustgurt mit Sender übermittelt die Herzdaten an einen Minicomputer, der kaum größer als eine Armbanduhr ist.

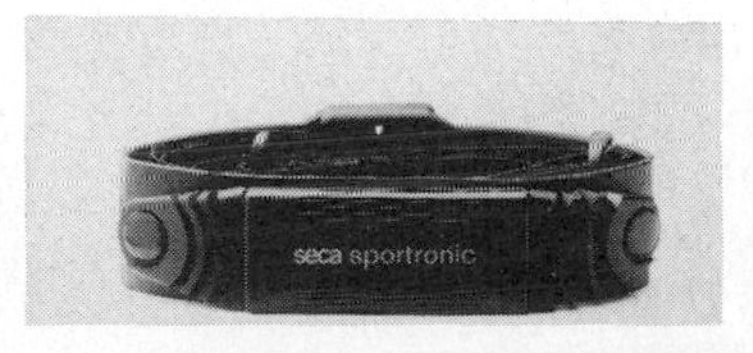

Hier wird alles gespeichert, was zur Trainingskontrolle nötig ist: Startpuls, Belastungspuls, Grenzpuls, Uhrzeit. Der Computer verfügt über Stoppuhrfunktion und ein Kontrollsignal, wenn Sie den Startpuls unter- oder den vorgewählten Grenzpuls überschreiten. Besser können Sie Ihr Herz-Kreislauf-Training nicht überwachen. Darüber hinaus können Sie mit dem Speicherabruf alle Daten nach der Belastung noch einmal abfragen. Genauer läßt sich Ihr persönliches Fitneßprogramm nicht planen und kontrollieren. Was Sie vielleicht nicht für möglich halten: Es macht sogar Spaß, ständig seine Fitneß im Auge zu haben und den Trainingsfortschritt ablesen zu können.

(*seca sportronic* von Unilife GmbH, Hammer Steindamm 23, 2000 Hamburg 76, im guten Sportfachhandel)

DAS KRÄFTIGT OBERSCHENKEL- UND HÜFTMUSKELN

Die Hüftbeugemuskeln sind Muskeln, die man zwar «nicht sieht», die im Sport aber eine große Bedeutung haben. Sie heben die Beine beim Laufen oder den Oberkörper aus der Rückenlage an. Klappmesser und Sit-ups sind Übungen, die diese Muskeln trainieren würden. Vor diesen Übungen muß aber eindringlich gewarnt werden, weil sie ohne Ausnahme die Wirbelsäule ungünstig belasten (siehe auch S. 33 u. 34).

DER BEINLIFT IM SITZEN

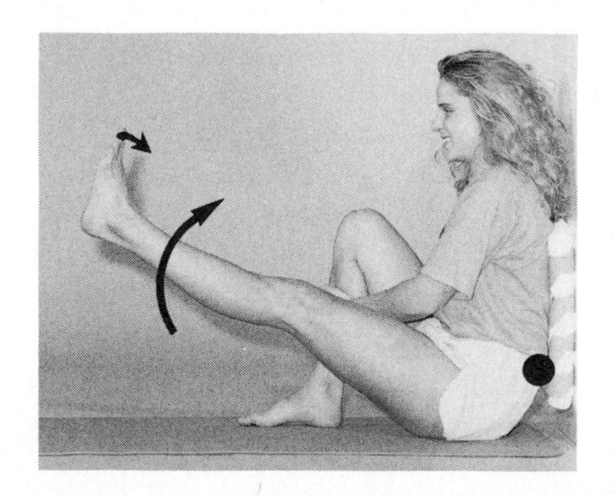

Der Beinlift im Sitzen trainiert die Muskeln ohne ungünstige Beeinflussung der Lendenwirbelsäule:
Aufrecht an einer Wand sitzen, ganz dicht mit dem Po heranrücken (auch als Partnerübung

geeignet: Der Partner muß die Lendenwirbelsäule mit dem Unterschenkel möglichst in der Senkrechten abstützen). Ein Bein anwinkeln, das andere anheben, so hoch es geht. Nicht verzagen, wenn Ihnen am Anfang nur wenige Wiederholungen gelingen, denn diese verzwickte Übung hat's in sich. Beide Seiten trainieren.

☛ *Ein besonderer Tip:* Fußgewichte oder ein Skischuh erschweren die Übung ungemein. Erst anwenden, wenn Sie kräftig genug geworden sind.

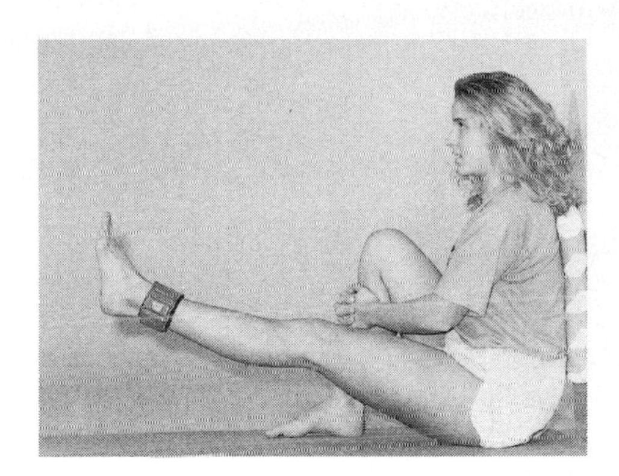

DAS STRAFFT PO UND OBERSCHENKEL

Die Kniebeuge ist ein Klassiker unter den Fitneßübungen. Als Belastungstest beim Arzt, früher als Strafübung beim Militär oder als Konditionstraining mit einer Hantelstange im Nacken ist sie als Beintraining sehr beliebt. Die gewöhnliche Ausführung ist Kniebeugen und Strecken beidbeinig.

Wie bei der «Händigkeit» dominiert normalerweise ein Bein und übernimmt bei beidbeiniger Ausübung die Führung der Bewegung. Das schwächere Bein kommt in der Kraftentwicklung dabei immer zu kurz. Dies ist verstärkt der Fall, wenn Sie vielleicht eine Sportart betreiben, bei der das starke Bein ohnehin favorisiert wird (wie z.B. Fußballspielen).

Kniebeugen sollten Sie deswegen einbeinig ausführen, dann werden Sie den ungleichen Kraftvoraussetzungen Ihrer Beine besser gerecht. Sie vermeiden dadurch eine «seitige» Dominanz, was vor allem wiederum der Funktionstüchtigkeit der Wirbelsäule zugute kommt.

KNIESTRECKEN UND BEUGEN

Legen Sie einen Fuß auf einen Stuhl. Das Standbein im Vorfußbereich erhöhen. Das verstärkt die Trainingswirkung auf die Wadenmuskeln. Immer geradeaus schauen und den Körper beim Strecken völlig gerade halten. Streckbewegung mit gegengleichem Armschwung wie beim Laufen unterstützen.

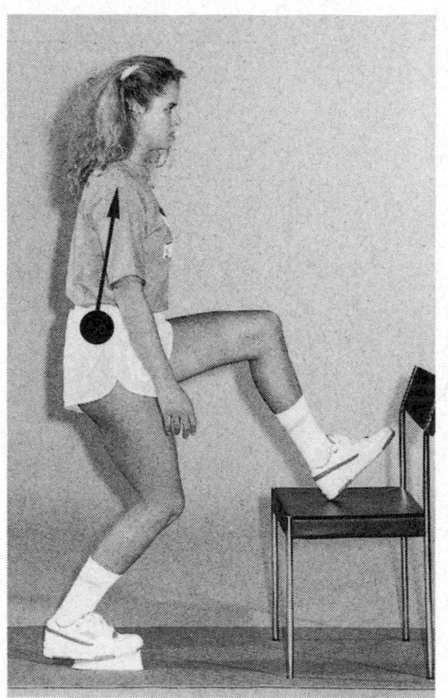

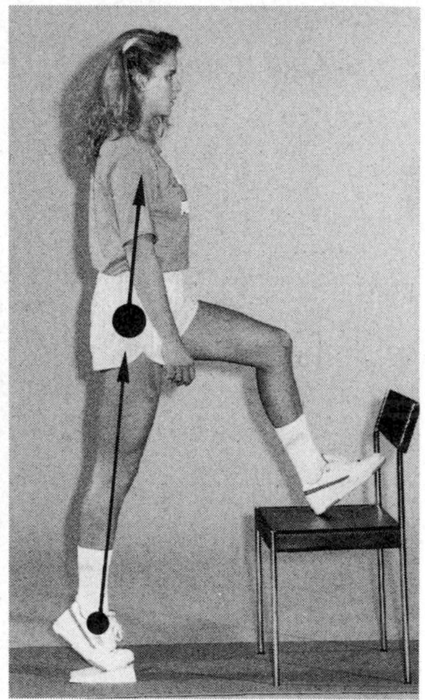

FREIES KNIESTRECKEN

Die gleiche Übung wie links. Stützen Sie sich in der Beugung mit der Hand ab. Strecken Sie das Bein, als wollten Sie vom Boden abspringen. Körperachse senkrecht und Beckenachse parallel zum Boden halten. Ohne Schuhe ausgeführt, erreichen Sie eine Kräftigung der gesamten Streckmuskeln des Beins bis in die Zehenspitzen hinein.

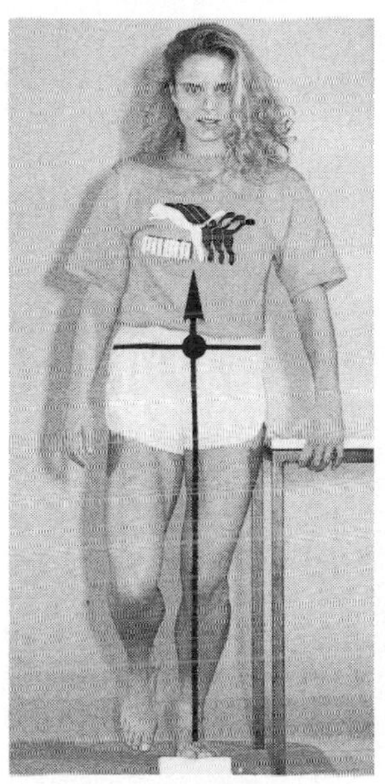

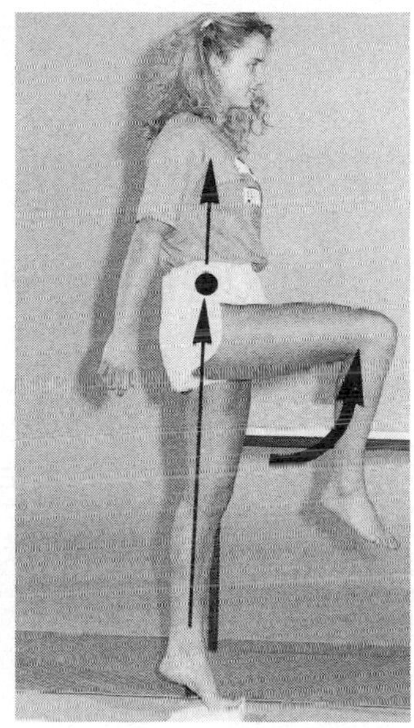

■ *Ganz besonders wichtig:*
Sie schonen das Knie, wenn Sie in der «Achse» bleiben und seitliches «Ausbrechen» des Knies vermeiden, vor allem dann, wenn die Muskeln müde werden und das Gelenk nicht mehr sauber «führen». Bei der Beugung nur etwa bis zur halben Kniebeuge hinuntergehen. Auch das trägt dazu bei, daß das im Sport am häufigsten verletzte und geschädigte Gelenk schonend belastet wird.

BEINKICKS IM SITZEN

Diese Übung ist ein spezielles Training, wenn Sie Probleme mit dem Knie haben oder sich nach einer Verletzung des Knies wieder auftrainieren wollen. Sie verwenden dazu die Condi-Manschette (ein Skischuh tut's auch) oder das Hermansson-Band (s. S. 78).

Beim Strecken drehen Sie die Fußspitze nach innen. Das kräftigt mehr den inneren, beim Auswärtsdrehen mehr den äußeren Teil des Kniestreckmuskels.

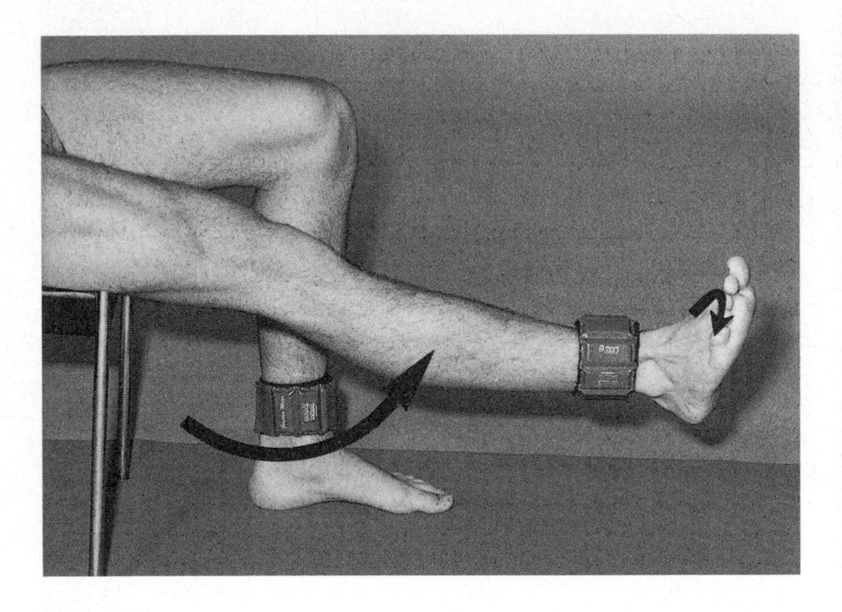

Die Kniebeuger auf der Oberschenkelrückseite gehören zu jenen Muskeln, die beim Sport häufig gezerrt werden. Sie zu kräftigen, hilft deshalb Verletzungen vorzubeugen.

Auch hier sollten Sie jedes Bein einzeln trainieren. Zwei Möglichkeiten: Als Partnerübung in der Bauchlage auf einem Kasten, Tisch oder ähnliches gegen den Widerstand des Partners Ferse zum Gesäß ziehen oder wieder das Gummiseil verwenden.

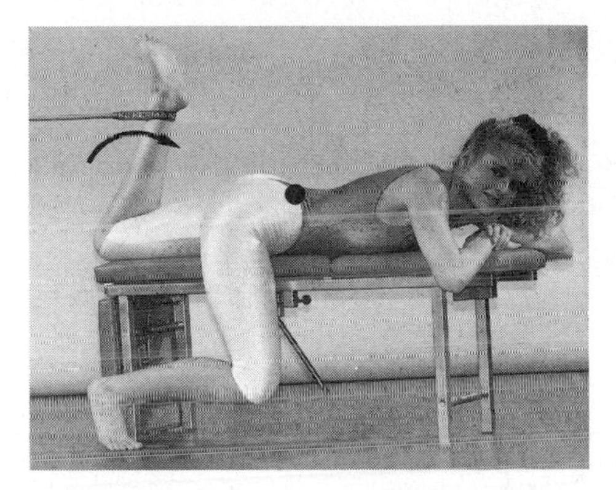

Wirksamer und gleichzeitig schonender fürs Kreuz sind einbeinige Curls, weil das seitlich aufgestellte Bein Becken- und Lendenbereich sperrt und ein bandscheibenbelastendes Ausweichen erschwert.

Auf die im Fitneßtraining so beliebten beidbeinigen Curls sollten Sie verzichten, denn sie bekommen auf Dauer der Lendenwirbelsäule schlecht, weil Sie häufig dabei ins Hohlkreuz ziehen.

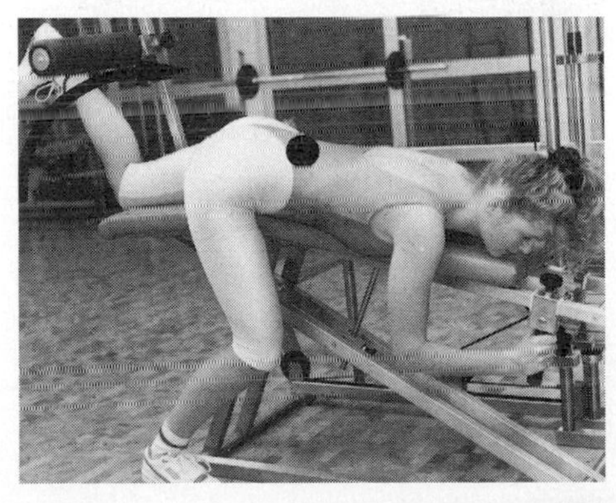

GROSSE BRÜCKE

Mit dieser Übung können Sie testen, wie stark die Muskeln auf der Rückseite der Beine sind: Völlig gestreckt auf den Boden legen. Ein Bein anwinkeln, das andere gestreckt mit der Ferse abstützen. Versuchen Sie jetzt, den Po wenige Zentimeter vom Boden abzuheben. Halten Sie diese flache Brückenposition einige Sekunden aufrecht. Dann das Bein wechseln. Wichtig: Die Pobacke der nicht stützenden Körperseite darf nicht absinken. Eine schwierige, komplexe Kraftübung zur Stärkung der Rücken- und Gesäßmuskeln sowie der Kniebeuger.

Aufgepaßt: Es kann passieren, daß sich die Kniebeugemuskeln, wenn sie schwach ausgebildet sind, verkrampfen. In diesem Fall stretchen Sie die Muskeln mit den Übungen auf Seite 115–116.

Die Adduktoren sind die «Beinanzieher» und bilden die Innenseite des Oberschenkels. Sie zu kräftigen, lohnt sich immer, denn sie helfen mit, das Kniegelenk zu stabilisieren. Wenn Sie schwache Kniebänder haben oder vielleicht einmal eine Verletzung am Bandapparat hatten, sollten Sie diesen «Muskelverbund» regelmäßig trainieren.
In der Seitenlage das Bein gestreckt anheben so hoch es geht. Die letzten Zentimeter sind zwar die schwierigsten, aber auch die lohnendsten. Nicht mit dem Bein nach vorn ausweichen, wenn die Anstregung zu groß wird.
Eine Gewichtsmanschette oder die Partnerin kann die Trainingswirkung steigern.

Mit dem Gummiband läßt sich die Muskelgruppe auch im Stand trainieren. Wichtig dabei: Mit dem Bein am Standbein vorbeiziehen. Dieses letzte Stück Weg ist besonders wirkungsvoll. Mit dem Becken nicht mitdrehen. Oberkörper ruhighalten.

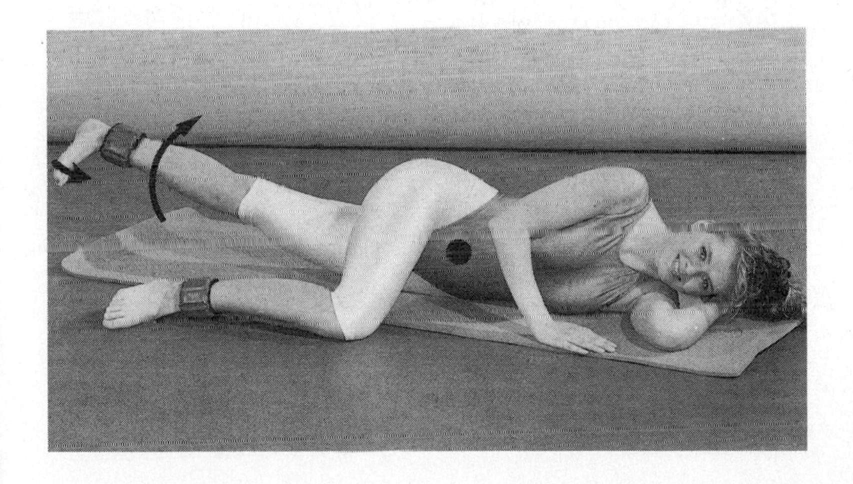

Adduktoren-Training mit Partnerin

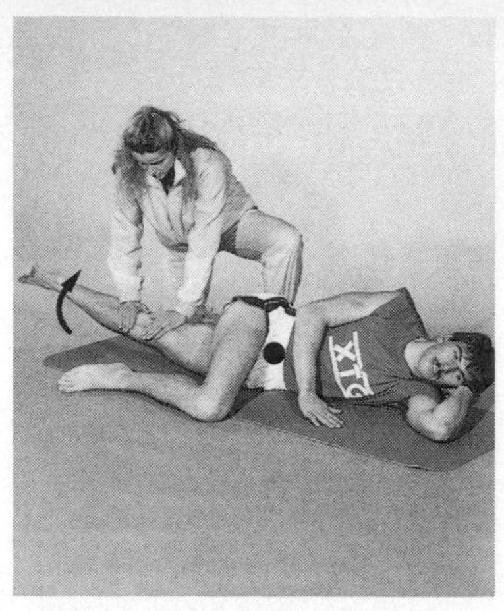

ABDUKTOREN-TRAINING

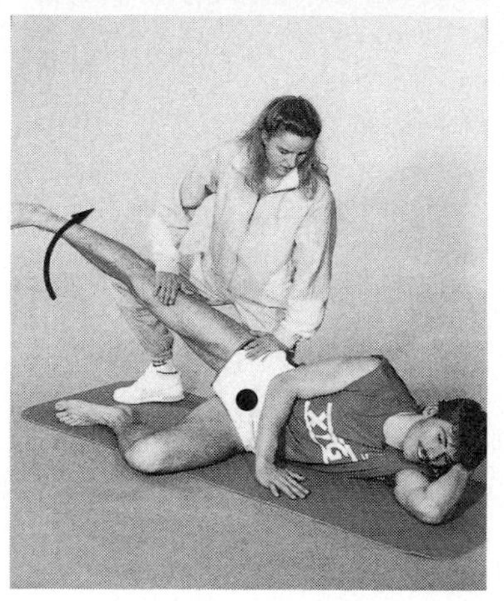

Die Abduktoren spreizen das Bein ab und formen die Außenseite des Oberschenkels. Auf der Seite liegen, das untere Bein 90 Grad im Hüft- und Kniegelenk beugen. Das obere Bein gestreckt anheben.

☛ *Der besondere Tip:*
Wenn Sie den Arm unter den Kopf legen, liegen Sie stabiler und bequemer. Der Hüftknochen drückt dann weniger. Fußmanschetten erhöhen die Trainingswirkung.

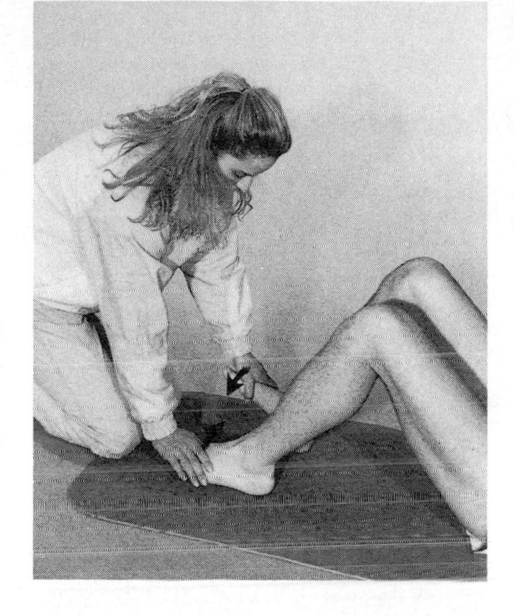

Die Schienbeinmuskeln sind die zumeist schwachen Gegenspieler der im Sport gut gekräftigten Waden. Dieses Kraftmißverhältnis gilt häufig als Ursache für die Knochenhautreizungen am Schienbein. Sie treten meistens als Folge von federnden Belastungen auf, wie sie z.B. beim Aerobic oder beim Laufen auf Kunststoffbahnen vorkommen können.

Übungen für diese eher unscheinbaren Muskeln gibt es nicht viele. Als Partnerübung oder mit dem Gummiband gegen den Widerstand die Zehen anziehen, sind zwei Übungen, die Problemen mit der Knochenhaut vorbeugen. Nicht anwenden, wenn Sie schon schmerzhafte Beschwerden mit der Knochenhaut haben.

Fußspitze erhöhen. Mit den Händen sich an der Wand abstützen. Bauchmuskeln anspannen und Ferse anheben und senken.

Ansonsten trainieren Sie die Waden als Fußstrecker zusammen mit der Oberschenkelmuskulatur (Übg. S. 99–102).

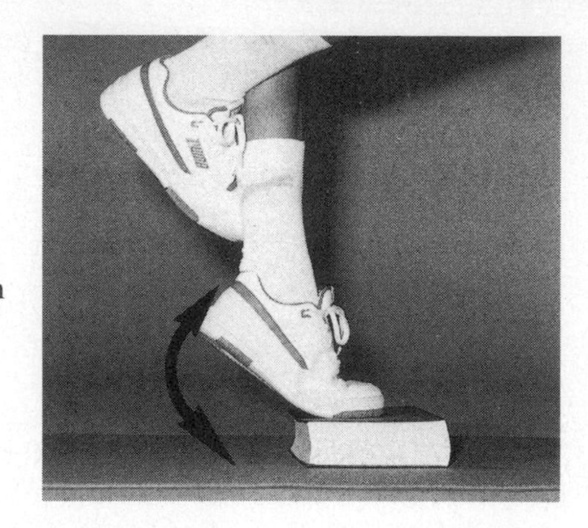

STRETCHING – BALSAM FÜR DIE BEINE

Die Beinmuskulatur will nicht nur gekräftigt sein, sondern muß auch regelmäßig «gepflegt werden». Wer vor Kraft bald nicht mehr laufen kann, kriegt sonst Probleme mit den Gelenken. Stretching für die Beinmuskeln erhält die Elastizität und fördert das Gelenk-Muskel-Zusammenspiel, ein entscheidender Beitrag zur Gesunderhaltung des Bewegungsapparats.

Die genaue Ausführung des Beinstretchings muß allerdings beherrscht werden, wenn die Übungen Wirkung zeigen sollen. Wie man's richtig macht, aber auch was man alles falsch machen kann, zeigen wir Ihnen in diesem Kapitel.

KICKS DEHNEN DIE RÜCKSEITE

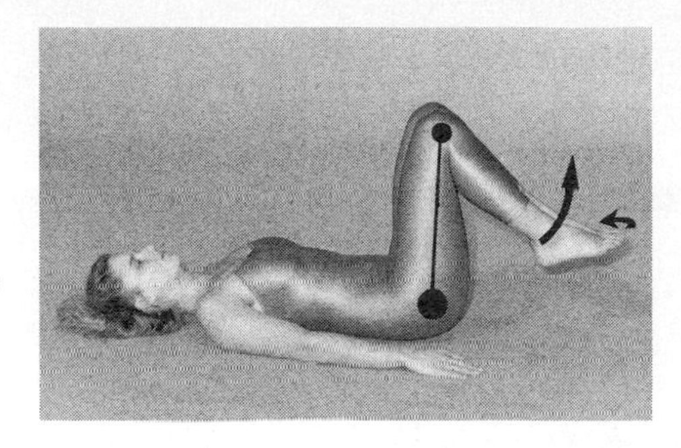

Legen Sie sich auf den Rücken mit gewinkelten Beinen. Ziehen Sie die Fußspitzen zum Schienbein an. Strecken Sie langsam die Knie, bis Sie einen sanften Schmerz in der Rückseite der Oberschenkel und der Wade spüren. Diesen Dehnschmerz halten Sie 6–8 Sekunden aufrecht, dann lassen Sie die Unterschenkel wieder fallen, verschnaufen kurz und wiederholen die Übung. Je öfter Sie die Übung ausführen, desto weicher werden die Muskeln.

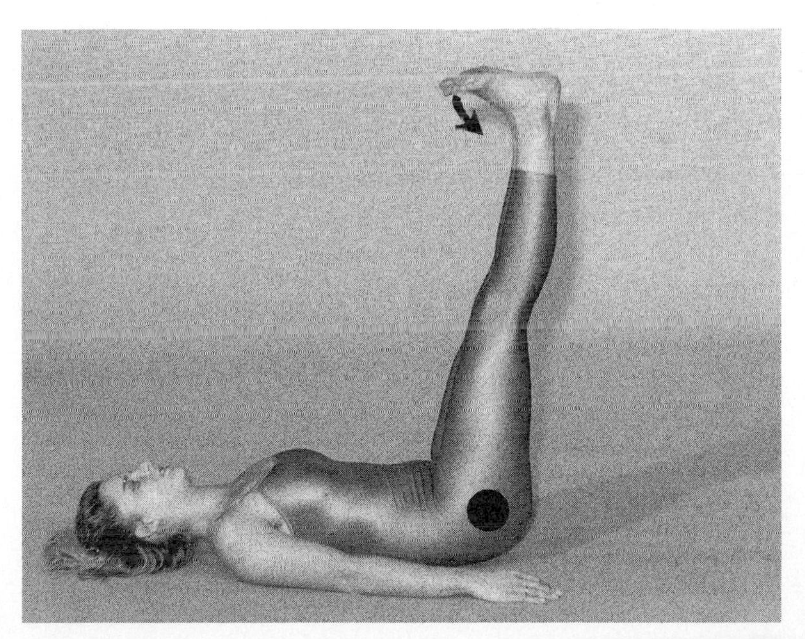

Noch intensiver wirkt der Stretch, wenn Sie sich jedes Bein einzeln «vorknöpfen». Mit beiden Händen hinter das Knie fassen, zur Brust ziehen und das andere Bein ganz auf dem Boden ausstrecken. So verhindern Sie, daß das Becken mitdreht und die Wirkung des Stretchs vermindert. Das Knie langsam strecken, dabei die Fußspitze immer angezogen lassen. Eine vollständige Streckung des Knies wird Ihnen nicht gelingen, wenn Sie das Hüftgelenk immer maximal gebeugt halten, d.h. der Oberschenkel am Ort ruhen bleibt. Jede Seite mehrfach wiederholen.

Die Übung ist wertlos, wenn Sie das andere Bein gewinkelt aufstellen.

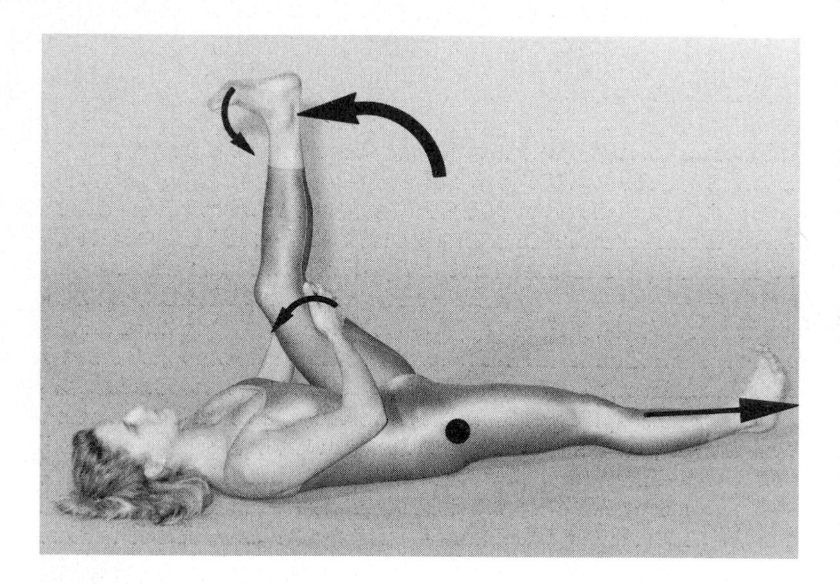

Die Oberschenkelrückseite kann man auch im Stand dehnen. Richtig ist die Übung, wenn Sie die Ferse auflegen (je dehnfähiger Sie sind, desto höher), Fußspitze anziehen und das Knie gebeugt halten. Standbein vollständig strecken und Oberkörper aufrichten. Fußspitze nicht nach auswärts drehen. Wenn Sie jetzt das Knie langsam strecken, können Sie die Muskeln millimeterweise dehnen. Bei sehr guter Dehnfähigkeit ist es erlaubt, den Oberkörper wenig nach vorn zu lehnen.

Falsch ist das Dehnen, wenn Sie es wie folgt praktizieren: Das Standbein ist ausgedreht und nicht vollständig gestreckt. Der Oberkörper lehnt sich zu weit nach vorn und belastet das zu dehnende Bein. Was Sie jetzt vielleicht in den Muskeln spüren, ist kein optimaler Stretch, sondern ein «Spannungsreiz», der immer dann spürbar wird, wenn Sie eine angespannte Muskulatur dehnen wollen.

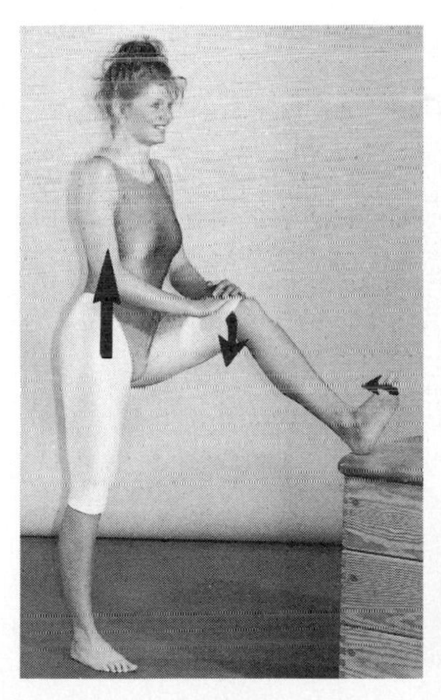

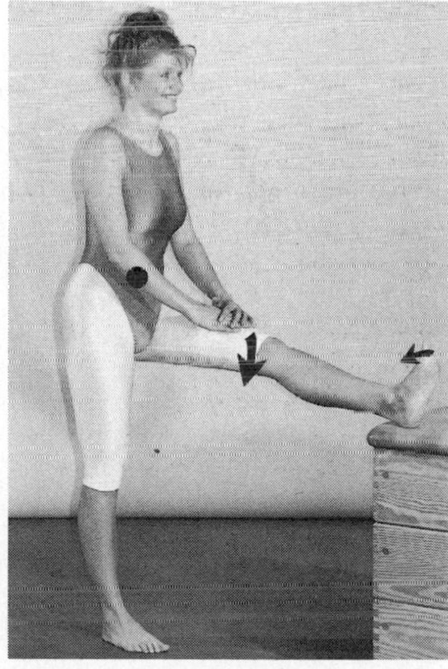

Auf Dehnungen der Oberschenkelrückseite in der Rumpfvorbeuge können Sie in Zukunft getrost verzichten. Gleichgültig ob Sie sie im Stand, im Sitzen oder als «Holzhackerübung» ausführen, sie alle taugen zur Dehnung wenig. Mit einem sinnvollen Stretching haben sie nichts zu tun. Sie schaden der Muskulatur, vor allem aber der Wirbelsäule im Lendenbereich.

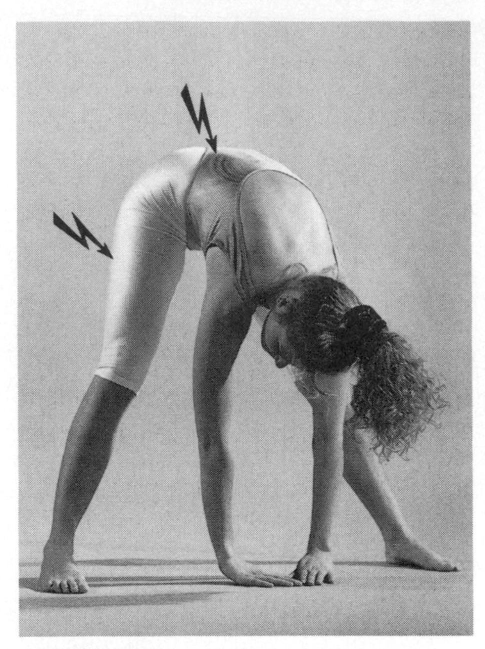

DEHNUNG DER SCHENKELVORDERSEITE

Im Knien lassen sich die Muskeln der Hüfte und der Oberschenkelvorderseite am besten dehnen: Im Schrittknien schützen Sie das stützende Knie mit einem mehrgefalteten Handtuch oder mit einer Turnmatte vor allzu großem Druck.

Das vordere Bein so weit nach vorn stellen, daß der Unterschenkel gerade ist. Hüfte nach vorn schieben und vollständig strecken. Warten Sie einen Augenblick, bis sich die Hüftbeugemuskeln der Dehnung angepaßt haben. Versuchen Sie jetzt das Fußgelenk zu fassen.

Wenn Sie mit der Hüfte dabei ausweichen müssen, korrigieren Sie zuerst die Beckenhaltung, bevor Sie die Ferse behutsam zum Po ziehen. Wenn Sie noch sehr gut dehnfähig sind, greifen Sie diagonal. Das Becken läßt sich auf diese Weise noch besser einrichten und der Stretch verstärken (S. 119 unten).

■ *Ganz besonders wichtig:*
Bei ungenügender Dehnfähigkeit nicht über das Hohlkreuz ausweichen. Sollten Ihre Muskeln so verkürzt sein, daß Sie das Fußgelenk nicht erreichen, steigen Sie auf Übung S. 121 um.

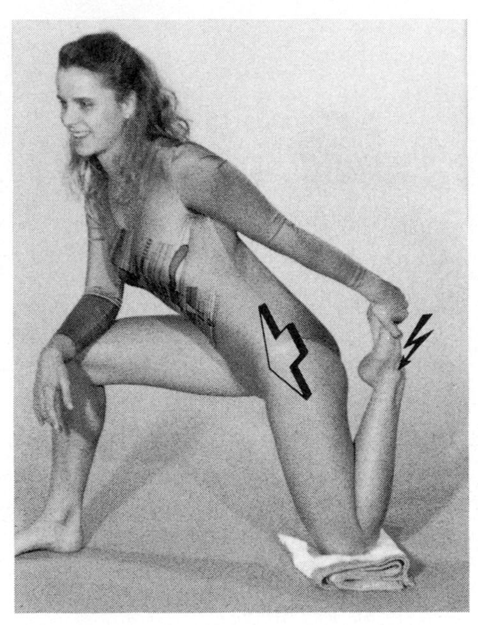

So ist die Übung falsch: Nicht an der Fußspitze fassen und nicht die Hüfte beugen. Die Stretchwirkung wird dadurch gemindert.

SCHENKELDEHNUNG IM LIEGEN

Wenn Sie den Kniestand vermeiden wollen, legen Sie sich in die stabile Seitenlage. Unteres Bein anwinkeln. Sie liegen dadurch besser und können das Becken präziser einrichten. Dadurch vermeiden Sie ein Ausweichen über das Hohlkreuz. Fußgelenk fassen und mit gleichzeitigem Strecken der Hüfte so weit nach hinten ziehen, bis Sie einen deutlichen Stretch in der Oberschenkelvorderseite spüren.

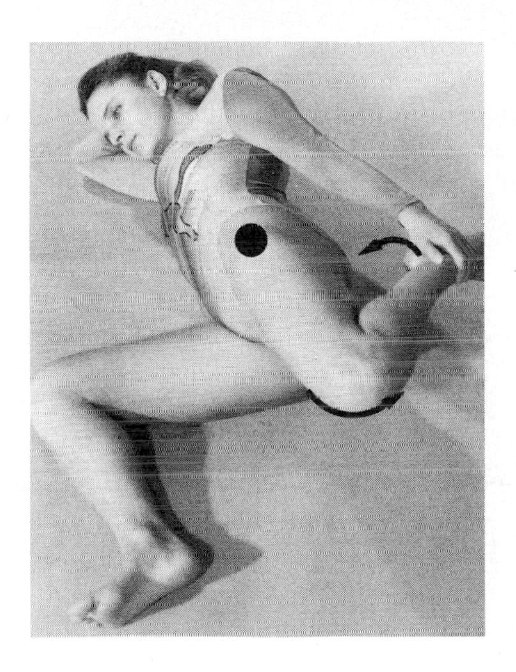

SCHENKELDEHNUNG IM STAND

Am schwierigsten ist die Dehnung der Kniestreckmuskulatur im Stand, weil Sie sehr leicht mit dem Becken und der Wirbelsäule dem Stretch ausweichen können.

Halten Sie sich mit einer Hand irgendwo fest. Das gewinkelte Bein am Fußgelenk fassen und sanft zum Po ziehen. Oberschenkel geschlossen halten, nicht über ein Hohlkreuz ausweichen (Bauchmuskeln anspannen). Wenn Sie gut dehnfähig sind, erreichen Sie mit der Ferse vielleicht den Po. Dehnungen im Stand können nicht die gleiche Qualität haben wie Dehnungen im Liegen, weil Sie dem Stretch vielfach ausweichen können. Diese Übungen müssen Sie öfter wiederholen als andere, um die gleiche Wirkung zu erhalten.

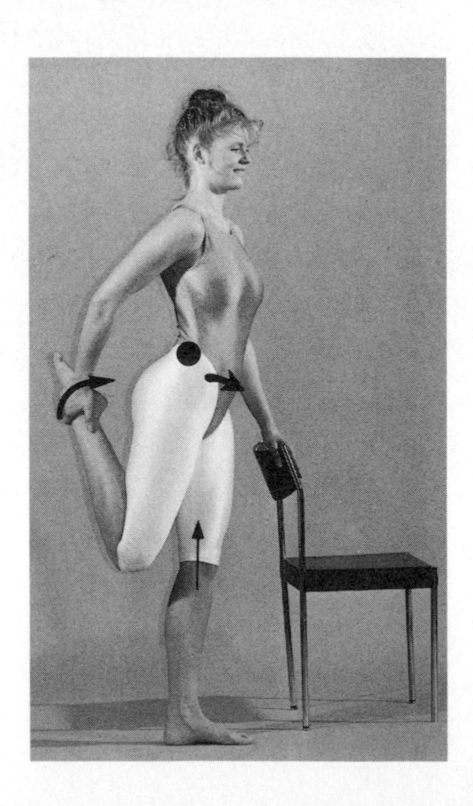

Nutzlos wird die Dehnung, wenn Sie mit dem Oberkörper, dem Becken oder durch Abspreizen mit dem Bein ausweichen.

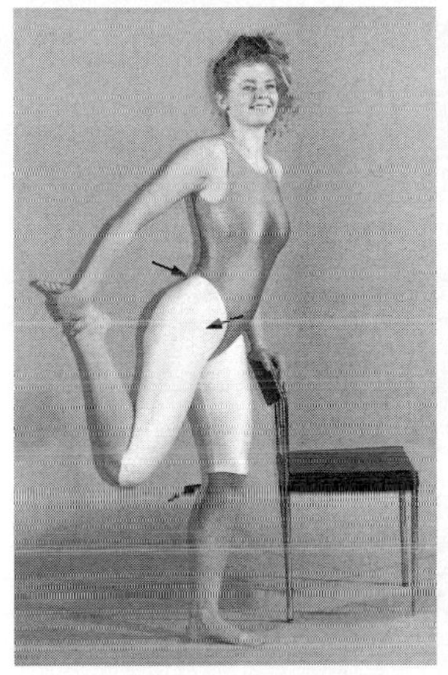

WADENDEHNUNG IM STAND

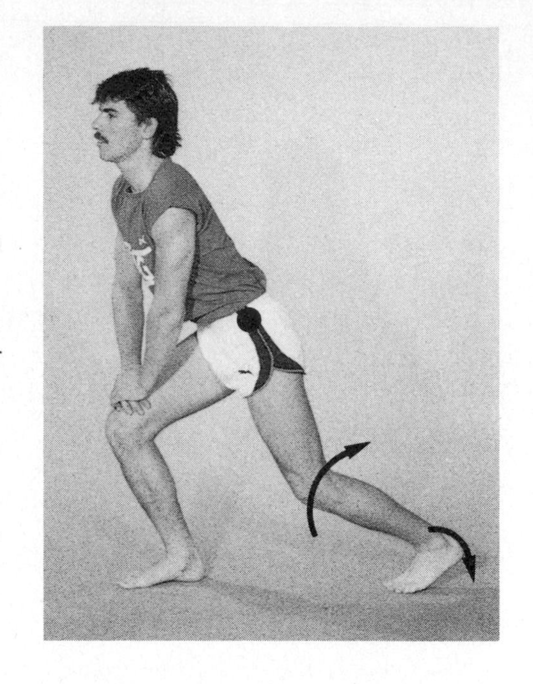

Die Wadenmuskeln bestehen aus zwei unterschiedlich wirkenden Muskeln. Mit einer einzigen Übung lassen sie sich daher nicht vollkommen dehnen. Die erste Ausführung stretcht den Zwillingsmuskel, die zweite mehr den Schollenmuskel.

In Schrittstellung das Körpergewicht auf das vordere Bein verlagern. Beide Füße mit der Fußspitze geradeaus aufstellen. Körpergewicht bei leicht gebeugtem Bein nach vorn verlagern. Ferse am Boden lassen. Durch das Strecken des Knies können Sie versuchen, einen Stretch in der Wade aufzubauen. Sie werden ihn stärker im oberen Bereich des Muskels spüren.
Wenn Sie zusätzlich einmal den Fuß etwas mehr nach innen, das andere Mal mehr nach außen aufsetzen, bevor Sie das Knie strecken, werden Sie merken, wie Sie den Stretch im Muskel «wandern lassen können».

Die zweite Möglichkeit: Sie verstärken die Beugung des Knies, ohne die Ferse vom Boden abzuheben. Jetzt spüren Sie die Dehnung voraussichtlich im unteren Teil der Wade.

Seien Sie nicht enttäuscht, wenn Sie bei diesem Stretching in der Wade allerdings kaum eine Dehnung verspüren. Übungen im Liegen sind wirkungsvoller und leichter durchführbar.

Die Wirkung der Dehnung können Sie verstärken, wenn Sie die Fußspitze des hinteren Beins erhöhen.

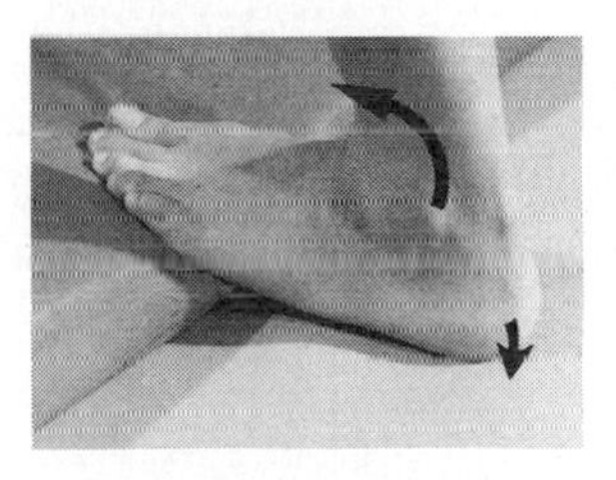

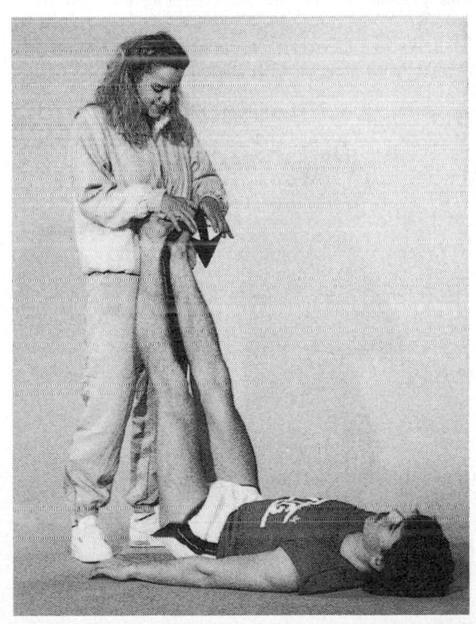

Als Partnerübung lassen sich die Waden auch passiv dehnen.

Wadendehnungen im Sport sollten Sie niemals auslassen, denn sie sind zur Pflege der Achillessehne absolut notwendig. Ist die Sehne allerdings gereizt, sollten Sie Wadenstretching nur nach Rücksprache mit einem erfahrenen Sportarzt oder Physiotherapeuten durchführen. Denn trotz der Tatsache, daß verkürzte Wadenmuskeln Achillessehnenbeschwerden auslösen können, verträgt gereiztes Sehnengewebe die beim Stretching entstehenden Spannungen schlecht.

Falsch ist es, wenn Sie versuchen, die Waden «unter Spannung» zu stretchen. Wenn Sie mit dem zu dehnenden Bein zu viel Körpergewicht stützen, ist die Wadenmuskulatur kontrahiert und angespannt. Wer auf diese Weise dehnt, darf sich nicht wundern, wenn er Beschwerden im Sehnenansatzbereich bekommt.

ADDUKTOREN-DEHNUNG IM SITZEN

Im Sitzen die Knie auseinanderfallen lassen und aktiv Richtung Boden drücken. Dann Lendenwirbelsäule aufrichten und dadurch den Stretch aufbauen. Die Dehnung können Sie verstärken, wenn Sie mit den Händen sanft nachhelfen.

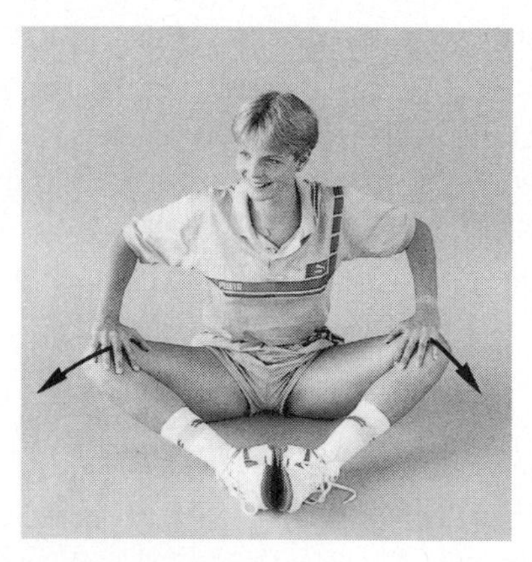

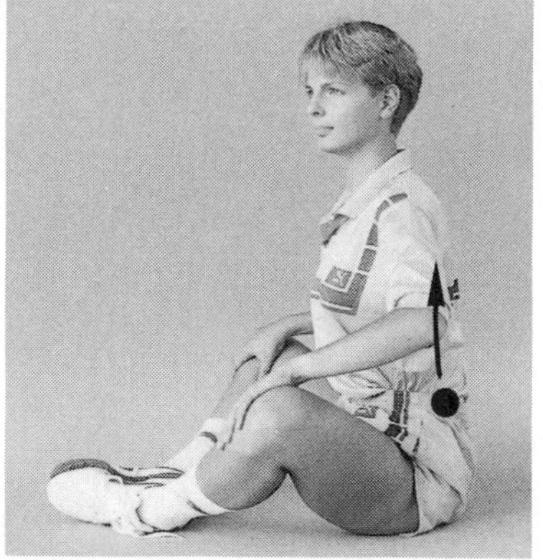

LITERATURHINWEISE:

GUNNARI, H./EVJENTH, O./BRADY, M.: Allround Fitness. Reinbek bei Hamburg 1989.

KEMPF, H.-D.: Die Rückenschule – Das ganzheitliche Programm für einen gesunden Rücken. Reinbek bei Hamburg 1990/1991[3].

KNEBEL, K.-H.: Funktionsgymnastik – Dehnen, Kräftigen, Entspannen. Reinbek bei Hamburg 1985/1990[8].

KNEBEL, K.-P./HERBECK, B./SCHAFFNER, S.: Tennis-Funktionsgymnastik (mit Tischtennis, Badminton und Squash). Reinbek bei Hamburg 1988/1990[3].

KNEBEL, K.-P./HERBECK, B./HAMSEN, G.: Fußball-Funktionsgymnastik. Reinbek bei Hamburg 1988/1989[2].

KNEBEL, K.-P.: Trainingsmethodische Hinweise zur Vermeidung von Fehlbeanspruchungen am Stütz- und Bewegungsapparat. In: Physiotherapie 4 (1990), 159–163.

LETUWNIK, S./FREIWALD, J.: Fitness für Frauen. Reinbek bei Hamburg 1990.

MENDE, J.: Körpertraining. Reinbek bei Hamburg 1988.

SCHWOPE, F.: Sportmassage. Reinbek bei Hamburg 1987/1988[2].

THÜRAUF (zit. bei ULMER, H. V.): Präventive Sportmedizin – Plädoyer für eine neue Betrachtungsweise. In: H. Riekert (Hg.). Sportmedizin – Kursbestimmung. Berlin/Heidelberg/New York 1987.

PRODUKTHINWEISE

Trainingscomputer SPORT TESTER
Unilife GmbH, 2000 Hamburg 76, Hammer Steindamm 23

Funktionale Kraftmaschinen
GERMANIA, 6740 Landau/Pfalz, Wieslautererstr. 14

Gewichtsmanschetten CONDI-Band / Rebound Trampolin
EHRHARD Sport, 8803 Rothenburg/Tauber

HERMANSSON-Band / Gymnastikmatten / Rebound Trampolin
SPORT THIEME GmbH, 3332 Grasleben, Helmstedter Str. 40

DER AUTOR

Karl-Peter Knebel ist Diplom-Sportlehrer und wissenschaftlicher Angestellter am Institut für Sport und Sportwissenschaft der Universität Heidelberg. Er war Bundestrainer für den Hochsprung der Frauen im Deutschen Leichtathletik-Verband. Außerdem führte er in zahlreichen Ländern Afrikas und Asiens Fortbildungslehrgänge für Sportlehrer und Trainer durch. Er ist Autor verschiedener Buch- und Aufsatzveröffentlichungen zu Themen der allgemeinen und speziellen Trainingslehre und Methodik der Sportarten.
In der Reihe rororo sport liegen vor: Funktionsgymnastik (rororo 7628), Tennis-Funktionsgymnastik (rororo 8621), Fußballfunktionsgymnastik (rororo 8631).